Mise en pratique

EXERCICES DE grammaire EN CONTEXTE

Niveau intermédiaire

Anne Akyüz
Bernadette Bazelle-Shahmaei
Joëlle Bonenfant
Marie-Françoise Flament
Jean Lacroix
Daniel Moriot
Patrice Renaudineau

EUROCENTRES

HACHETTE
Français langue étrangère
www.hachettefle.fr

Avant-propos

Ce deuxième ouvrage des « exercices de grammaire en contexte » s'adresse à des étudiants adolescents ou adultes, **faux débutants/intermédiaires**, pour un travail en classe ou en autonomie. Il fait suite au premier volume (niveau débutant) et se propose de mener l'apprenant d'une compétence de « découverte » à une compétence de « survie » selon le cadre européen commun de référence pour l'enseignement et l'apprentissage des langues.

Ce livre d'**entraînement** et de **pratique** comporte **15 chapitres** qui mettent en relation la progression grammaticale et les situations de communication de base. Un sommaire détaillé et des **consignes simples** rendent l'utilisation de l'ouvrage aisée.

Dans chaque chapitre, des **tableaux synthétiques** « aide-mémoire » rappellent le point de grammaire pratiqué. Les exercices d'application sont en contexte et présentent parfois un **objectif fonctionnel** pour permettre une réutilisation immédiate en situation de communication, par exemple sous forme de **jeux de rôles**.

L'**unité lexicale** de la majorité des exercices facilite la mémorisation du vocabulaire utile à ce niveau.

Un **bilan test**, à la fin de chaque chapitre, reprend les principaux éléments abordés.

Cinq évaluations à la fin du livret – avec leurs corrigés – reprennent plusieurs points grammaticaux et permettent de mesurer le degré d'acquisition.

L'ouvrage comporte **deux index** : un index grammatical et un index des objectifs fonctionnels.

Les **corrigés** des exercices se trouvent dans un livret séparé.

Les « exercices de grammaire en contexte » font donc pratiquer à la fois les structures grammaticales, le vocabulaire et les fonctions de communication indispensables à ce niveau.

Les auteurs

Couverture et maquette intérieure : Christophe et Guylaine Moi

Réalisation : MÉDIAMAX

Secrétariat d'édition : Catherine Gau

Illustrations : Philippe Chapelle

ISBN 978-2-01-155147-4

© HACHETTE LIVRE 2000, 43 quai de Grenelle, F 75 905 Paris Cedex 15.
Tous les droits de traduction, de reproduction et d'adaptation réservés pour tous pays.

Sommaire

LES VERBES AU PRÉSENT

➤ Informer sur les personnes : habitudes ➤ Dire ce que l'on est en train de faire
➤ Dire ce que l'on fait ➤ Formuler un projet ➤ Refuser une proposition

A LES VERBES EN -ER

TRAVAILLER		SE LAVER	
Je travaille Tu travailles Il Elle ⎤ travaille On ⎦	Nous travaillons Vous travaillez Ils ⎤ travaillent Elles⎦	Je **me** lave Tu **te** laves Il Elle ⎤ **se** lave On ⎦	Nous **nous** lavons Vous **vous** lavez Ils ⎤ **se** lavent Elles⎦

Attention ! Le verbe *aller* est irrégulier : *je vais, tu vas, il/elle/on va, nous allons, vous allez, ils/elles vont.*
Certains verbes ont des particularités : *Nager : nous nag**e**ons - Appeler : j'app**e**lle, nous app**e**lons -
Placer : nous pla**ç**ons.*

1 Soulignez le ou les pronom(s) correct(s).

Dire ce que l'on fait

Le week-end

1. **Nous/Ils/Vous** écrivons des poèmes.
2. **Elles/On/Il** apprennent le piano.
3. **Ils/Vous/Nous** faites du sport.
4. **Je/Tu/Il** prends des cours de danse.
5. **On/Tu/Il** part à la campagne.
6. **Nous/Ils/Je** reçoivent des amis.
7. **Elles/On/Nous** suivons les matchs de rugby à la télévision.
8. **Il/Je/On** peins des meubles en bois.
9. **Nous/Ils/Vous** courez pour être en forme.
10. **Tu/Je/Elle** dors tout le week-end !

2 Répondez avec le verbe au présent.

Informer sur les personnes : habitudes

Un couple étrange

1. – Vous vous levez tôt ?   – On *se lève* vers 10 heures.
2. – Vous commencez tard ? – Nous ne .... pas avant midi.
3. – Et vous mangez où ?   – Nous ne .... pas, nous sommes au régime !
4. – Vous vous promenez ?   – Je .... seulement la nuit et avec mon mari.
5. – Vous voyagez parfois ? – Nous ne .... jamais, nous détestons ça !
6. – Vous ne bougez jamais ? – Nous .... le moins possible !

3 Conjuguez les verbes au présent. _____

Informer sur
les personnes :
habitudes

Les bons et les mauvais élèves

– Alors, comment sont tes élèves cette année ?

– Une catastrophe ! Ils ne *travaillent* (1) (**travailler**) pas, ils n'... (2)

(**étudier**) pas leurs leçons, ils .... (3) (**oublier**) leurs affaires, ils

.... (4) (**jouer**) aux cartes dans la classe, ils m'..................................... (5)

(**appeler**) par mon prénom, ils me .... (6) (**tutoyer**) et, dehors,

ils .... (7) (**crier**), ils .... (8) (**jeter**) leurs livres par terre,

c'est terrible ! Et les tiens ?

– Des élèves modèles ! Ils .... (9) (**se lever**) quand j'..................................... (10)

(**entrer**) dans la classe, ils .... (11) (**nettoyer**) le tableau à la fin du cours et

même, ils me .... (12) (**remercier**). Vraiment, nous .... (13)

(**travailler**) beaucoup ! Alors, quelquefois, je les .... (14) (**emmener**) voir une

exposition. J'..................................... (15) (**espérer**) que l'année va continuer comme ça.

4 Complétez avec le verbe *s'en aller* au présent. _____

1. Je pars seul. Mes parents, eux, ne *s'en vont* pas, ils préfèrent rester une semaine de plus.

2. Tu .... déjà ! Tu ne veux pas un café ?

3. On .... à 8 heures juste !

4. Vous .... déjà ? Il est encore tôt !

5. Je ne .... pas ce soir, tu le sais ?

6. Ma fille .... avant nous pour ouvrir notre maison de campagne.

7. Pour les vacances, cette année, on ne .... pas, on reste chez nous.

8. Bonne soirée à tous ! Je .... plus tôt, je vais chercher mon fils à l'aéroport.

B LES VERBES EN *-IR, -OIR* ET *-RE*

■ **Les verbes en *-ir***

RÉFLÉCHIR	
Je réfléch**is**	Nous réfléchiss**ons**
Tu réfléch**is**	Vous réfléchiss**ez**
Il	Ils
Elle ⎱ réfléch**it**	Elles ⎱ réfléchiss**ent**
On ⎰	

5 Conjuguez les verbes au présent.

En classe de peinture

1. Vous *choisissez* (**choisir**) un thème.

2. Vous .... (**réfléchir**) à la composition.

3. Toi, tu .... (**éclaircir**) un peu le ciel, il est trop sombre !

4. Nous .... (**agrandir**) un peu l'ensemble.

5. Toi, tu .... (**finir**) beaucoup trop vite !

6. Regarde tes camarades, ils .... (**réussir**) très bien !

6 Complétez avec les verbes au présent puis trouvez l'adjectif.

Transformations !

> rougir   maigrir   blondir   vieillir   ~~grossir~~   grandir   rajeunir

1. Je mange trop en vacances, je **grossis**, c'est terrible !   *gros*

2. Nos enfants mesurent déjà 1,90 m, ils .... trop vite !   ....

3. Mon fils aîné est timide, il .... très souvent !   ....

4. Va chez le médecin si tu .... comme ça !   ....

5. Grand-mère est en pleine forme, j'ai l'impression qu'elle .... !   ....

6. Vos cheveux .... au soleil, c'est joli !   ....

7. Eh oui ! Nous .... chaque jour, malheureusement !   ....

Les verbes au présent

■ Les verbes irréguliers en *-ir*, *-re* et *-oir*

PARTIR		PRENDRE		RECEVOIR	
Je par**s**	Nous part**ons**	Je prend**s**	Nous pren**ons**	Je reçoi**s**	Nous recev**ons**
Tu par**s**	Vous part**ez**	Tu prend**s**	Vous pren**ez**	Tu reçoi**s**	Vous recev**ez**
Il	Ils	Il	Ils	Il	Ils
Elle ⎤ part	Elles ⎦ part**ent**	Elle ⎤ prend	Elles ⎦ prenn**ent**	Elle ⎤ reçoit	Elles ⎦ reçoiv**ent**
On ⎦		On ⎦		On ⎦	

Attention ! Verbes **très** irréguliers :
– **dire** : *je dis, tu dis, il dit, nous disons, vous dites, ils disent.*
– **faire** : *je fais, tu fais, il fait, nous faisons, vous faites, ils font.*

7 Complétez le tableau.

~~font~~   buvez   me souviens   éteins   t'inscris   recevons   éteignez   ~~faites~~   mettez   boivent
s'inscrivent   reçoit   vous souvenez   mettent

PRONOM(S)	FORME	PRONOM(S)	FORME	INFINITIF
1. *ils/elles*	*font*	*vous*	*faites*	*faire*
2.	....	....	....	....
3.	....	....	....	....
4.	....	....	....	....
5.	....	....	....	....
6.	....	....	....	....
7.	....	....	....	....

8 Soulignez la forme correcte.

> Informer sur
> les personnes :
> habitudes

Les beaux dimanches

1.   On **cours/<u>court</u>** tous les dimanches.

2.   Je **découvres/découvre** un nouveau musée chaque dimanche.

3.   Tu **fais/fait** la grasse matinée.

4.   Ils **prend/prennent** toujours le petit déjeuner au lit.

5.   Elle **lit/lis** le journal après le déjeuner.

6.   Nous **éteignons/éteins** la télévision à minuit !

7.   Ils **recevons/reçoivent** souvent des amis.

8.   Vous **reviennent/revenez** chez vous tard ?

9 Conjuguez les verbes au présent.

Retour de Lima

– Que *deviennent* (1) (**devenir**) vos amies du Pérou ?

– Justement, elles .... (2) (**revenir**) de Lima la semaine prochaine !

– Super ! J'aimerais bien les revoir, vous .... (3) (**croire**) que c'est possible ?

– Bien sûr, on te .... (4) (**prévenir**) quand elles arrivent et

on .... (5) (**prévoir**) un dîner ensemble.

– Formidable ! Si vous n'arrivez pas à me joindre, appelez chez mes parents parce que

je ne .... (6) (**venir**) pas tout le temps à Paris.

– D'accord, pas de problème. Elles .... (7) (**se souvenir**) bien de toi, tu sais !

10 Conjuguez les verbes au présent.

> Formuler
> un projet

Vacances de Noël

– **Daniel :** Quels *sont* (1) (**être**) tes projets pour Noël ? Tu .... (2) (**aller**)

à Nice ou tu .... (3) (**partir**) faire du ski ?

– **Bernard :** Cette année, ma femme .... (4) (**avoir**) dix jours de vacances.

Alors, nous .... (5) (**partir**) d'abord à Nice pour passer le réveillon de Noël

en famille et après nous .... (6) (**prendre**) l'avion pour la Martinique.

Nous .... (7) (**revenir**) le 3 janvier.

– **Daniel :** Et les enfants .... (8) (**venir**) avec vous ?

– **Bernard :** Pour Noël, oui, ils .... (9) (**être**) avec nous à Nice mais après

ils .... (10) (**aller**) dans les Alpes avec mes parents pendant une semaine.

Ils .... (11) (**reprendre**) l'école le 4 janvier. Et vous, vous .... (12)

(**faire**) quoi ?

C LE PRÉSENT PROGRESSIF

FORMATION	EXEMPLE
Être (au présent) **+ en train de + infinitif**	- Tu peux répondre, le téléphone sonne ! - Non, je ne peux pas, je **suis en train de faire** la vaisselle.

11 Conjuguez les verbes au présent progressif.

Dire ce que l'on est en train de faire

En pleine action !

1. – Où sont les garçons ?

    – **(jouer)** *Ils sont en train de jouer* dans le jardin. Regarde dehors !

2. – Et Patrice ?

    – **(dormir)** ...., chut, ne fais pas de bruit !

3. – Et Catherine ?

    – **(téléphoner)** ...., ne la dérange pas !

4. – Et papa et maman ?

    – **(se préparer)** ...., ils n'en ont pas pour longtemps.

5. – Et tante Odile ?

    – **(se reposer)** ...., mais tu peux aller la voir !

6. – Et toi ?

    – **(travailler)** ...., tu ne vois pas ? Et toi ?

7. – **(chercher)** .... quelque chose à faire. Je m'ennuie !

12 Répondez aux questions.

Refuser une proposition

1. – Tu peux venir avec moi ?

    – Non, je *suis en train de travailler* **(travailler)**.

2. – Tu joues avec moi ?

    – Non, je .... **(préparer le repas)**.

3. – Je peux parler à Monique ?

    – Non, elle .... **(prendre sa douche)**.

4. – J'ai quelque chose à te montrer !

    – Attends, je .... **(téléphoner)**.

5. – Tu viens, on va se promener ?

    – Pas tout de suite, je ....

    (regarder les informations).

BILAN

1 **Conjuguez les verbes au présent.**

Comment on y va ?

– Bonjour Monsieur, nous .... (1) **(chercher)** la maison de

Madame Lenoir, c'est une grande maison blanche. Vous .... (2) **(savoir)**

où elle .... (3) **(être)** ?

– Oui, vous .... (4) **(tourner)** à gauche et vous .... (5)

(avancer) 200 mètres, puis, vous .... (6) **(prendre)** à droite et

vous .... (7) **(suivre)** la rivière jusqu'au pont.

– Bon, nous .... (8) **(prendre)** à gauche et nous .... (9)

(longer) la rivière.

– Non, pas à gauche ! À droite. Et vous .... (10) **(continuer)** tout droit.

À un moment, vous .... (11) **(voir)** un arbre très très haut et derrière,

c'est la maison de Madame Lenoir.

– D'accord, merci,

Monsieur. Au revoir !

– Au revoir !

2 **Conjuguez les verbes au présent.**

Le diplomate et sa famille

Le diplomate : Marie, les enfants, j'ai une grande nouvelle !

Tous : ?????

Le diplomate : Nous .... (1) **(déménager)** bientôt.

Marie : Oh non, chéri. Encore ! Nous .... (2) **(changer)** sans arrêt !

Alors on .... (3) **(aller)** où ? Et on .... (4)

(partir) quand ?

Les verbes au présent — Bilan

Le diplomate : En Sibérie, dans deux mois.

Les enfants : Papa, impossible, il .... (5) **(faire)** froid là-bas !

Le diplomate : Nous .... (6) **(remplacer)** la famille Dubois.

Eux, ils .... (7) **(aller)** au Brésil.

Les enfants : Nous, on .... (8) **(vouloir)** rester en Thaïlande,

on .... (9) **(être)** bien ici.

Marie : Les enfants, nous ne .... (10) **(choisir)** pas ! Alors,

vous .... (11) **(essayer)** de vous montrer un peu plus enthousiastes !

Le diplomate : Bon, ce soir, je vous .... (12) **(emmener)** au cinéma,

il y a un film magnifique sur la Sibérie.

3 Complétez avec les verbes au présent.

se retrouver   être   s'entendre   s'adorer   s'appeler   se séparer   habiter   avoir

Les deux sœurs

Ma sœur et moi, nous .... (1). Nous .... (2)

près l'une de l'autre, mais nous .... (3) très souvent au téléphone !

Nous .... (4) très bien, nous .... (5) les mêmes

goûts. Quand nous .... (6), nous .... (7) tristes !

Mais, quand nous .... (8), quelle joie !

4 Conjuguez les verbes au présent ou au présent progressif.

(5 verbes sont au présent, 5 verbes sont au présent progressif.)

Quelle vie !

C'est toujours la même chose : les enfants .... (1) **(venir)** me

déranger quand je .... (2) **(lire)** mon journal, leurs copains

.... (3) **(arriver)** quand nous .... (4)

(déjeuner), le téléphone .... (5) **(se mettre)** à sonner quand ils

.... (6) **(faire)** leurs devoirs, les filles .... (7)

(se battre) quand je .... (8) **(faire)** la sieste, la voisine

m' .... (9) **(appeler)** quand on .... (10)

(regarder) un film à la télévision. On n'est jamais tranquilles !

LES TEMPS DU PASSÉ

➤ Dire ce que l'on a fait ➤ Décrire des habitudes au passé ➤ Décrire au passé
➤ Raconter au passé

A LE PASSÉ COMPOSÉ

VERBES AVEC *AVOIR* + PARTICIPE PASSÉ	VERBES AVEC *ÊTRE* + PARTICIPE PASSÉ
1. La majorité des verbes Les enfants, vous **avez mangé** toutes les glaces ! **2. Six verbes** (quand ils ont un complément d'objet direct) : descendre, monter, passer, rentrer, sortir, retourner. Nous **avons passé** une très bonne soirée.	**1. Verbes :** aller, venir, monter, descendre, entrer, sortir, arriver, partir, rester, passer, naître, mourir, retourner, tomber, **et leurs composés :** revenir, repartir... Paul **est rentré** tard hier soir. Elle **est passée** chez ses amis dimanche dernier. Mes amis **sont revenus** de vacances hier. **2. Verbes pronominaux :** se lever, se promener, se coucher... Ce matin, Marie **s'est réveillée** très tôt.

Attention ! Avec l'auxiliaire *être*, le participe passé s'accorde avec le sujet.
Attention à la place de la négation : *Nous n'avons pas compris. Ils ne sont pas rentrés.*
Attention à la place de l'adverbe : *Nous avons bien travaillé.*

1 Soulignez le verbe qui a une terminaison différente au participe passé.

1. finir – choisir – **venir**
2. entendre – répondre – éteindre
3. asseoir – voir – savoir
4. croire – boire – mettre
5. paraître – connaître – naître
6. lire – traduire – inscrire
7. dormir – offrir – partir
8. faire – plaire – distraire
9. rire – interdire – détruire
10. souffrir – couvrir – sortir

2 Écrivez le participe passé.

1. écrire : *écrit*
2. apprendre : apprendu
3. conduire : Conduit
4. plaindre : plaint
5. vivre : vécu
6. perdre : perdu
7. trouver : trouvé
8. recevoir : reçu
9. pouvoir : pu
10. couvrir : couvert
11. rentrer : rentré
12. mourir : mort
13. peindre : peint
14. rire : ri
15. pleuvoir : plu

3 Mettez dans l'ordre. (Le premier mot commence par une majuscule.)

Un enfant a disparu

1. personne / a / Il / à / téléphoné / n'   *Il n'a téléphoné à personne.*

2. copains / n' / à / rien / Il / dit / ses / a

    Il n'a dit rien à ses copains.

3. à / ne / Ses / vu / l' / ont / école / professeurs / pas / l'

    Ses professeurs ont vu ne l'ont vu pas à l'école.

4. pas / donner / sœur / voulu / d' / n' / Sa / explications / a

    Sa Sœur n'a voulu pas donner d'explications

5. à / s' / amis / ne / Il / jamais / ses / confié / est

    Il ne jamais s'est confié ses amis jamais

6. rien / à / n' / cette / amis / compris / Ses / histoire / ont

    Ses amis n'ont compris à cette histoire rien.

7. pas / police / n' / Ses / encore / la / ont / parents / appelé

    Ses parents n'ont appelé pas la police.

4 Conjuguez les verbes au passé composé.

> Dire ce que l'on a fait

– Alors Madame Lamigeon, ces vacances ?

– Superbe ! Le voyage **s'est passé** (1) (**se passer**) sans aucun problème. Les enfants

s'ont bien Amusé (2) (**bien s'amuser**), Cédric *s'a fait* (3)

(**se faire**) plein de copains.

– Et vous *s'avez promené* (4) (**se promener**) ?

– Oui, un peu. Nous *s'avons baladé* (5) (**se balader**) au bord de la mer.

Nous *s'avons baigné* (6) (**se baigner**), excepté ma fille aînée qui

s'a mis (7) (**se mettre**) au soleil des journées entières !

5 Conjuguez les verbes au passé composé.

> Dire ce que l'on a fait

Une femme d'affaires très occupée

Mercredi dernier, Madame Dupuy **est partie** (1) (**partir**) en voyage d'affaires à Lyon.

Elle .... (2) (**se lever**) très tôt, à 5 heures et demie exactement.

Elle .... (3) (**prendre**) le train à 6 heures. Elle .... (4)

(**arriver**) à Lyon vers 8 heures. Elle .... (5) (**aller**) en taxi à son premier rendez-vous où elle .... (6) (**rencontrer**) des clients. À midi, elle

.... (7) (**déjeuner**) dans un restaurant avec le directeur d'une banque.

L'après-midi, elle .... (8) (**se rendre**) dans la banlieue de Lyon.

Elle .... (9) (**visiter**) une nouvelle usine. Elle .... (10)

(**pouvoir**) rencontrer le directeur et elle .... (11) (**discuter**) avec plusieurs

membres du personnel. En fin d'après-midi, elle .... (12) (**participer**)

à une réception pour le départ en retraite

d'un collaborateur et, à cette occasion, elle

.... (13) (**prononcer**)

un petit discours.

C'est seulement en début de soirée qu'elle

.... (14) (**reprendre**)

le train pour Paris. Elle .... (15)

(**retrouver**) sa famille vers 10 heures du soir.

B L'IMPARFAIT

FORMATION	EXEMPLE : *PRENDRE*	
Radical du présent avec nous — **ais**	Je pren**ais**	Nous pren**ions**
— **ais**	Tu pren**ais**	Vous pren**iez**
(exemple : nous **pren**ons) + — **ait**	Il	Ils
— **ions**	Elle ⎤ pren**ait**	Elles ⎤ pren**aient**
— **iez**	On ⎦	
— **aient**		

Attention au verbe *être* : *J'étais, tu étais, il/elle/on était, nous étions, vous étiez, ils/elles étaient.*

6 Complétez le tableau.

INFINITIF	PRÉSENT AVEC « NOUS »	IMPARFAIT
1. attendre	*nous attendons*	*il attendait*
2. comprendre	....	vous ....
3. connaître	....	elles ....
4. croire	....	nous ....
5. écrire	....	elle ....
6. éteindre	....	tu ....
7. faire	....	je ....
8. finir	....	il ....

7 Conjuguez les verbes à l'imparfait.

Souvenirs d'enfance

– **Nicole :** Nous *étions* (1) (**être**) une famille nombreuse
de six enfants. Mon père .....étient.................. (2) (**être**)
comptable, ma mère, elle, ...ne travaillait pas (3)
(**ne pas travailler**). À midi, nous ..ne déjeunions pas (4)
(**ne pas déjeuner**) à la cantine de l'école, nous

...s rentrions.......... (5) (**rentrer**) à la maison.
Toute la famille .....mangeaient.......... (6) (**manger**)
à la même heure et les repas .....étaient.......... (7)
(**être**) très animés !
– **Charles :** Chez moi, ça ..ne se passais pas (8)
(**ne pas se passer**) du tout comme ça : j'..étais.......... (9) (**être**) fils unique.
À table, seuls mon père et ma mère .....parlait.......... (10) (**parler**).

8 Conjuguez les verbes à l'imparfait.

La coupe du monde de football 1998

Le soir de la victoire de la France, les Champs-Élysées *étaient* (1) (**être**) en folie.
Il y .....avait.......... (2) (**avoir**) une foule incroyable. Des millions de personnes
.....chantaient.......... (3) (**chanter**), ...craient.......... (4) (**crier**),
.....buvaient.......... (5) (**boire**), ...dansaient.......... (6) (**danser**). Des gens
.....pleuraient.......... (7) (**pleurer**) de bonheur, d'autres ...s'embrassaient (8)
(**s'embrasser**). On .....partageait.......... (9) (**partager**) le même bonheur.
C'.....était.......... (10) (**être**) fantastique !

9 Conjuguez les verbes à l'imparfait.

C'était une autre époque !

1. Quand on pense qu'autrefois, les gens **vivaient** (**vivre**) sans électricité !
2. Quand on pense qu'en 1960, le cinéma ne ....coûtait.... (**coûter**) que six francs !
3. Quand je pense qu'il y a un siècle, la télévision n'existait pas (**ne pas exister**).
4. Quand je pense que ma grand-mère ....faisait.... (**faire**) encore la lessive à la main !
5. Quand on pense qu'il y a 60 ans, en France, les femmes ne votaient pas (**ne pas voter**).
6. Quand on pense qu'au 19ᵉ siècle, on ....mettait.... (**mettre**) plusieurs semaines pour traverser l'Atlantique !

10 Conjuguez les verbes à l'imparfait.

Décrire au passé

La disparition

Je me souviens très bien, c'**était** (1) (**être**) au mois de juin, nous ....nous promenions (2) (**se promener**) Emma et moi, boulevard Saint-Michel, les gens ....riaient.... (3) (**rire**) ou ....discutaient.... (4) (**discuter**) aux terrasses des cafés, nous ....marchions.... (5) (**marcher**) tranquillement, nous ....regardions.... (6) (**regarder**) les vitrines des magasins. Emma ....venait.... (7) (**venir**) de réussir son baccalauréat, moi, je ....préparais.... (8) (**préparer**) mes derniers examens, nous ....parlions.... (9) (**parler**) des vacances. C'....était.... (10) (**être**) notre dernier jour de bonheur ensemble. Quelques jours après, Emma est partie avec ses parents et je ne l'ai jamais revue.

C L'UTILISATION DU PASSÉ COMPOSÉ ET DE L'IMPARFAIT

*Il **faisait** beau, la mer **était** calme, alors, j'**ai pris** mon bateau.*

*Avant, j'**habitais** dans un studio ; j'**ai gagné** au loto et maintenant j'**habite** dans un bel appartement.*

*Je **dormais** quand le téléphone **a sonné** et m'**a réveillé**.*

Les temps du passé

11 **Associez.**

Jérôme, j'attends des explications !

1. Pourquoi es-tu rentré si tard après l'école ?
2. Pourquoi tu ne m'as pas montré ton carnet de notes ?
3. Pourquoi est-ce que tu n'as pas appelé ?
4. Pourquoi tu n'as pas fait tes devoirs ?
5. Pourquoi tu as eu une si mauvaise note en maths ?
6. Pourquoi est-ce que tu n'es pas allé à ton entraînement de foot ?
7. Pourquoi est-ce que tu n'as pas goûté ?

a. Parce que je n'avais pas mes affaires.
b. Parce que j'avais peur de ta réaction.
c. Parce que mon téléphone portable ne marchait pas.
d. Parce que je n'avais pas faim.
e. Parce que Cédric voulait me montrer son nouveau jeu vidéo.
f. Parce que l'entraîneur était absent.
g. Parce que je ne savais pas ma leçon.

1.	2.	3.	4.	5.	6.	7.
e	b	c.	a	g	f	d.

12 **Conjuguez à l'imparfait ou au passé composé.**

Raconter au passé

Au commissariat
Interrogatoire de la victime :
– Expliquez-moi ce qui vous est arrivé, Mademoiselle.
– Voilà. Il *était* (1) (**être**) environ 22 h 30, il ....faisait.... (2) (**faire**) nuit.
Je ....rentrais.... (3) (**rentrer**) du cinéma, et il ..n'y avait pas.. (4) (**ne pas y avoir**)
beaucoup de monde dans la rue. Tout à coup, j'.ai...entendu.... (5) (**entendre**) un bruit
de pas derrière moi, je ..me suis retournée.. (6) (**se retourner**) et j'.ai....reçu.... (7)
(**recevoir**) un violent coup sur la tête. Je ..me...suis...évanouie.. (8) (**s'évanouir**).

Interrogatoire d'un témoin :
– Monsieur, qu'avez-vous à dire ?
– Il ....était.... (9) (**être**) assez tard, j'..étais.... (10) (**être**) dans le salon
et je ....regardais.... (11) (**regarder**) le film sur Arte. Ma femme ....lisait.... (12)
(**lire**) dans son lit et mes deux autres enfants ....dormaient.... (13) (**dormir**) dans
la chambre à côté. Soudain quelqu'un ..a...poussé.... (14) (**pousser**) un cri terrible, alors
je ..me suis...levé.... (15) (**se lever**) du fauteuil, j'.ai....ouvert.... (16) (**ouvrir**) la
fenêtre et j'.ai...vu.... (17) (**voir**) un homme qui ....frappait.... (18) (**frapper**)
une femme. J'.ai....crié.... (19) (**crier**) et l'homme ....s'est enfui.... (20) (**s'enfuir**).

13 Associez et conjuguez les verbes au passé composé.

Que de changements !

1. Avant, j'étais très timide.
2. Avant, il ne savait pas danser.
3. Avant, elle n'arrivait pas à s'endormir.
4. Il y a dix ans, je pesais 96 kilos.
5. Avant, nous habitions un studio sinistre et sombre.
6. Avant, je vivais seul.

a. Maintenant, il danse parfaitement.
b. Aujourd'hui, je ne fais que 65 kilos.
c. Aujourd'hui, nous nous sentons bien chez nous.
d. Aujourd'hui, je n'ai plus peur de parler en public.
e. Maintenant, je connais plein de monde et j'ai de nombreux amis.
f. Maintenant, elle dort au moins huit heures par nuit.

1.	2.	3.	4.	5.	6.
d	a	f	b	c.	e

1. Pour guérir ma timidité, j'*ai suivi* (**suivre**) un stage et j'ai ....apprendu....... (**apprendre**) à être sûr de moi.
2. La danse ? Il s'est inscrire.......... (**s'inscrire**) à un cours.
3. Pour dormir plus facilement, elle ...a...arrêté.............. (**arrêter**) de boire du café.
4. Pour perdre des kilos, j'ai....fait.................... (**faire**) un régime strict : j'ai....supprimé.......... (**supprimer**) l'alcool, les bonbons et les pâtisseries.
5. Dans notre studio : nous ..avons..repeindu.. (**repeindre**) les murs en blanc, nous .avons..changé...... (**changer**) la moquette et nous ...avons...mis............... (**mettre**) des posters aux couleurs vives sur les murs.
6. Pour connaître de nouveaux amis, j'ai.....décidé.............. (**décider**) de m'inscrire dans un club de natation et de randonnées.

14 Conjuguez à l'imparfait ou au passé composé.

Raconter au passé

1. Il *traversait* (**traverser**) l'avenue ; brusquement, une voiture .....est arrivé..................... (**arriver**) en face de lui.
2. Elle .....se.....promenait............ (**se promener**) tranquillement ; tout à coup, il .....a...commencé............. (**commencer**) à pleuvoir.
3. Je ....regardais................. (**regarder**) les vitrines des magasins et, à un moment, j'...ai...entendu.............. (**entendre**) quelqu'un m'appeler par mon nom.
4. Elle ....était.......................... (**être**) assise à la terrasse d'un café et elle ....regardait................ (**regarder**) les gens passer quand, tout à coup, elle ....a....entendu.............. (**entendre**) un énorme bruit.

5. Je ......*faisait*...... (**faire**) mes courses quand, brusquement, il ...*y a eu*...... (**y avoir**) une explosion.

6. Nous ...*nous rencontré*...... (**se rencontrer**) alors que je ...*suis sorti*...... *sommes rencontré* (**sortir**) du restaurant. *sortis*

D — LE PASSÉ RÉCENT

FORMATION	EXEMPLE
Venir (au présent) **+ de + infinitif**	— Je peux voir le directeur ? — Je suis désolé, il **vient de sortir**.

15 Associez.

1. — Nous ne sommes pas trop en retard pour le film ?

2. — Pourquoi Paul est-il si triste ?

3. — Marie n'a pas encore téléphoné ?

4. — Tu veux une bière ?

5. — Je peux te demander une cigarette ?

6. — C'est bien l'arrêt de bus pour Opéra ?

7. — Vous n'êtes plus en vacances ?

8. — Claire, pourquoi est-ce que tu pleures ?

a. — Il vient d'apprendre qu'il n'est pas reçu à son concours.

b. — Oui, mais il vient de passer, le prochain est dans cinq minutes.

c. — Non, merci. Je viens de prendre un café.

d. — Non, nous venons de rentrer.

e. — Je viens d'éplucher des oignons.

f. — Si, elle vient d'appeler.

g. — Non, il vient de commencer.

h. — Désolé, je viens de finir mon paquet.

1.	2.	3.	4.	5.	6.	7.	8.
g	a	f.	c.	h	b	d	e

16 Mettez dans l'ordre. (Le premier mot commence par une majuscule.)

Dernières nouvelles de la famille

1. d' / un / Nous / dans / nouvel / venons / appartement / emménager

   Nous venons d'emménager dans un nouvel appartement.

2. vient / nouveaux / d' / Ma / nos / femme / meubles / acheter

   ...*Ma femme vient d'acheter nos nouveaux meubles.*...

3. son / vient / premier / fille / travail / de / Ma / de / contrat / signer

   Ma fille vient de signer son ~~montrateurde~~ premier contrat de travail.

4. à / vient / l' / Mon / université / fils / d' / entrer

   Mon fils vient d'entrer à l'université

5. une / venons / neuve / Nous / d' / voiture / acheter

   Nous venons d'acheter une ~~neuve~~ voiture neuve.

6. d' / vient / un / Ma / petit / soeur / garçon / avoir

   Ma ~~petit~~ soeur vient d'avoir un ^{petit} garçon

7. partir / retraite / père / de / la / vient / Mon / à

   Mon père vient de partir à la retraite.

BILAN

1 Conjuguez les verbes au passé composé ou à l'imparfait.

Accident rue Monge

Un accident ...a eu.. ~~avait~~ lieu......... (1) (**avoir lieu**) rue Monge ce matin. Un gros camion
......était......... (2) (**être**) stationné devant le feu rouge et ....gênait........ (3)
(**gêner**) les conducteurs. Une voiture qui ......roulait............ (4) (**rouler**) assez vite
...n'a pas pu.... (5) (**ne pas pouvoir**) s'arrêter. Malheureusement un piéton
...~~ont traversé~~ ^{traversait}.... (6) (**traverser**) la rue quand la voiture ....est arrivé........ (7)
(**arriver**). Le conducteur ......~~freinait~~ ^{a freiné}.... (8) (**freiner**) mais il ..a heurté........ (9)
(**heurter**) le piéton qui ..est.. tombé........... (10) (**tomber**) juste devant le magasin
de fleurs. La fleuriste qui ......lavait......... (11) (**laver**) le trottoir devant sa boutique
..a téléphoné.... (12) (**téléphoner**) tout de suite aux pompiers qui
..~~ont~~ ^{sont} arrivé......... (13) (**arriver**) cinq minutes après. Le piéton ......était......... (14)
(**être**) choqué. Les pompiers ....~~ont~~ ^{ont} décidé......... (15) (**décider**) de le conduire à l'hôpital.

2 Complétez avec les verbes au passé composé ou à l'imparfait.

Petits problèmes

| arriver | attendre | avoir | demander | ne pas donner | faire | ne pas pouvoir | poser | savoir |

Hier soir, quand nous ...~~sommes arrivés~~ ^{sommes arrivé}......... (1) à la gare, il y ....avait......... (2)
un monde fou. Nous ...avons ~~faire~~...... (3) à un voyageur l'heure du train pour Versailles.
_{demandé}

Il ....*n'a pas pu*.... (4) nous répondre. Nous ....*avons posé*.... (5) la même question à trois employés, personne ne ....*savait*.... (6) rien. Alors, nous ....*avons attendu*.... (7) une heure et puis, ils ....*ont fait*.... (8) une annonce : « Prochain train pour Versailles, quai n° 18 ». Ils ....*n'ont pas donné* (9) d'explications. Un vrai mystère…

| dormir | éclater | fermer | entendre | ne pas être | allumer | sortir | se recoucher |

Quand l'orage ....*a éclaté*.... (10), Jean ....*dormait*.... (11) profondément ; il ....*entendait*.... (12) les fenêtres claquer comme dans un cauchemar, il ....*n'était pas*.... (13) très rassuré. Il ....*est sorti*.... (14) de son lit prudemment, il ....*a allumé*.... (15) toutes les lampes, il ....*a fermé*.... (16) les fenêtres et il ....*s'est recouché* (17).

| faire la queue | s'apercevoir | être | ne pas avoir | devoir | revenir | ne pas être |

Mon mari et moi, nous ....*faisions la queue*.... (18) devant le guichet du cinéma quand
nous *nous sommes aperçus*. (19) que nous ....*n'avions pas*.... (20) d'argent.
Nous ....*avons dû*.... (21) aller au distributeur automatique et quand
nous *sommes revenus* (22), la salle ......*était*.... (23) pleine.
Ce ....*n'était pas*.... (24) notre jour de chance !

3 **Conjuguez les verbes au passé composé, au passé récent ou à l'imparfait.**

C'est fait !

– Allô, écoute, tu ....*n'as pas envoyé*.... (1) **(ne pas envoyer)** l'adresse de Valérie ?

– Si, je ....*viens de la faxer*(2) **(la faxer)** à l'instant.

– Super ! Et tu ....*as réservé*.... (3) **(réserver)** les places de T.G.V. pour lundi ?

– Pascale *vient d'appeler*.... (4) **(appeler)**, elle ....*l'a fait*.... (5) **(le faire)** hier.

– Elle en ....*a eu*........ (6) **(avoir)** ?

– Oui mais, il ....*n'y avait*.... (7) **(ne plus y avoir)** de places en seconde, alors
elle ......*a pris*...... (8) **(prendre)** des premières classes.

– C'est le luxe !

LE FUTUR PROCHE
ET LE FUTUR SIMPLE

➤ Indiquer un programme ➤ Formuler un projet, une prévision, une prédiction, une promesse ➤ Faire une hypothèse dans le futur ➤ Parler d'une action immédiate

A LE FUTUR PROCHE

FORMATION	UTILISATION / EXEMPLES
Verbe **aller** (au présent) **+ infinitif**	- Formuler un projet : Je **vais partir** en vacances en juillet. - Parler d'une action immédiate : Vite, vite, le film **va commencer**, on **ne va pas voir** le début.

Attention ! Avec un pronom complément : *Je vais **lui** écrire. Je ne vais pas **le** prendre.*

1 Mettez dans l'ordre. (Le premier mot commence par une majuscule.)

1. et / vais / chez / Je / moi / lire / rester   *Je vais rester chez moi et lire.*

2. sortir / pour / Marc / se promener / va

   ....

3. allons / la / Nous / ranger / maison

   ....

4. Je / faire / ne / rien / vais

   ....

5. Les / aller / chez / copains / enfants / des / vont

   ....

6. ne / voir / Elle / personne / va

   ....

2 Conjuguez les verbes au futur proche.

Parler d'une action immédiate

1. Attention, vous *allez tomber* (tomber) !
2. Fais attention, tu .... (se couper) !
3. C'est dangereux, vous .... (se faire mal) !
4. Pose le vase, tu .... (le casser) !

5. Attention, tu .... **(glisser)** !

6. Dépêchons-nous, nous .... **(ne pas avoir)** le temps de tout faire !

7. Arrêtez ou je .... **(se mettre)** en colère !

8. Ralentis, on .... **(avoir)** un accident !

9. Écoutez bien, sinon vous .... **(ne pas se souvenir)** de cette règle !

10. Dépêche-toi, nous .... **(rater)** le bus !

3 **Conjuguez les verbes au futur proche.** _Formuler un projet_

Les lycéens

M. Desbois : Alors, qu'est-ce que vous _allez faire_ (1) **(faire)** l'année prochaine ?

Luc : Je .... (2) **(aller)** dans une école de dessin.

Delphine : Moi, je .... (3) **(s'inscrire)** à la faculté de médecine.

Maud et Diane, les jumelles : Nous .... (4) **(étudier)** les langues. Moi,

je .... (5) **(améliorer)** mon grec à Athènes et Diane .... (6)

(apprendre) le japonais à Kyoto.

Xavier : Moi, je .... (7) **(aider)** mes parents à la ferme.

Charles : Je .... (8) **(traverser)** les États-Unis avec un copain et on

.... (9) **(s'arrêter)** chez mon frère à San Francisco. Et vous, Monsieur Desbois ?

M. Desbois : Ah, moi, je .... (10) **(finir)** les travaux de ma maison

en Bretagne et je .... (11) **(se reposer)**. Alors, bonne chance à tous !

B LE FUTUR SIMPLE

FORMATION		UTILISATION / EXEMPLES
Infinitif du verbe +	- ai - as - a - ons - ez - ont	- Formuler une promesse : Je te **téléphonerai** à mon arrivée. - Indiquer un programme : Demain, nous **partirons** à 8 heures et nous **voyagerons** toute la journée. - Formuler une prévision : Demain, il **ne fera pas** beau. - Formuler une prédiction : Vous **aurez** beaucoup d'enfants.

Attention ! Pour les verbes dont l'infinitif se termine par _e_, on supprime le _e_ :
Dire : _je dirai_
Quelques verbes ont un radical irrégulier : Aller : _j'irai_ – Avoir : _j'aurai_ – Devoir : _je devrai_ –
Être – _je serai_ – Faire : _je ferai_...
Cas particuliers : Appe**l**er : _j'appe**ll**erai_ – Ach**et**er : _j'ach**èt**erai_ – Emplo**y**er : _j'emplo**i**erai_.

Le futur proche et le futur simple

4 Soulignez le verbe correct.

1. Ils **appelleront/appellerons**.
2. Vous **jouerai/jouerez**.
3. Tu **paiera/paieras**.
4. Nous **suivront/suivrons**.
5. On **s'ennuiera/s'ennuieront**.

6. Ils **pourrons/pourront**.
7. On **courras/courra**.
8. Je **saurai/saura**.
9. Tu **jettera/jetteras**.
10. Nous **nous dépêcherons/se dépêcheront**.

5 Conjuguez les verbes au futur simple.

1. Recevoir : Tu *recevras*
2. Se promener : Il ....
3. Jeter : On ....
4. S'ennuyer : Je ....
5. Se lever : Nous ....
6. Tenir : Je ....

7. Payer : Ils ....
8. Acheter : Vous ....
9. Savoir : Je ....
10. Appeler : Elle ....
11. Essayer : Tu ....
12. Pouvoir : Je ....

6 Mettez dans l'ordre.
    (Le premier mot commence par une majuscule.)

Formuler une promesse

1. vacances / Vous / des / inoubliables / passerez
    Vous passerez des vacances inoubliables.

2. jour / ferez / découvertes / Chaque / vous / belles / de
    ....

3. paysages / des / splendides / vous / Ils / découvrir / feront
    ....

4. soir / entre / vous / amis / Le / amuserez / vous
    ....

5   gens / inviteront / région / vous / Les / de / la / fêtes / des / à
    ....

6. pour / plus / secrets / Ce / magnifique / vous / aura / n' / pays / de
    ....

Le futur proche et le futur simple

7 **Conjuguez les verbes au futur simple.**

L'excursion

Nous ***prendrons*** (1) (**prendre**) le petit déjeuner à 9 heures du matin. Nous .... (2)
(**se réunir**) ensuite dans la grande salle et nous .... (3) (**ne pas partir**)
avant 10 heures, nous .... (4) (**devoir**) attendre le car. Il nous
.... (5) (**conduire**) à Caen où nous .... (6) (**arriver**)
en fin de matinée. La visite du musée .... (7) (**durer**) environ trois quarts
d'heure. Nous .... (8) (**déjeuner**) à la cafétéria du musée. L'après-midi, vous
.... (9) (**être**) libres pour découvrir la ville. Il .... (10)
(**falloir**) peut-être prévoir des parapluies. Nous .... (11) (**se retrouver**)
à l'hôtel vers 18 heures. Là, on vous .... (12) (**offrir**) un cocktail en présence
de monsieur le Maire.

8 **Répondez aux questions avec le futur simple.**

Une femme exigeante

1. – Chéri, Pierre prend le pain pour ce soir ?
   – Oui, il le ***prendra***.

2. – Et toi, tu achètes des fleurs ?
   – D'accord, j'en ....

3. – Les enfants, vous appelez Mamie tout à l'heure ?
   – Oui, on l'... .

4. – Chéri, tu réserves aussi les places pour le théâtre ?
   – Oui, je les .... cet après-midi.

5. – Dis, tu téléphones aux Durand ?
   – Je leur .... du bureau.

6. – Ils apportent le dessert, comme d'habitude ?
   – Oui, ils l'... .

9 **Conjuguez les verbes au futur simple.**

Temps d'automne en France

Dans le sud-ouest, le temps ***sera*** (1) (**être**) nuageux. Il .... (2) (**pleuvoir**)
faiblement en montagne. Les nuages et la pluie .... (3) (**se déplacer**) vers
la Côte d'Azur qu'ils .... (4) (**atteindre**) dans la soirée.

Dans toutes les autres régions, la matinée .... (5)

(**être**) grise et humide et il y .... (6) (**avoir**)

de la brume ou du brouillard.

Il .... (7) (**tomber**) une pluie fine au nord de

la Loire. Des éclaircies .... (8) (**commencer**)

 à apparaître près de la Manche. Elles .... (9)

(**s'étendre**) vers l'est dans l'après-midi. On .... (10)

(**trouver**) les températures les plus basses à Paris 9° et à Grenoble

10° et il .... (11) (**faire**) 18° à Nice.

10 Conjuguez les verbes au futur simple.

La Belle au Bois dormant

Devant le berceau d'Aurore, les trois bonnes fées prédisent son avenir.

– Tout le monde l'*adorera* (1) (**adorer**), elle .... (2) (**chanter**)

et .... (3) (**danser**) merveilleusement bien. Elle .... (4)

(**grandir**) dans le bonheur. Un prince l'... (5) (**épouser**) et

ils .... (6) (**vivre**) heureux jusqu'à la fin de leurs jours.

La mauvaise fée arrive soudain et dit :

– Non, je prédis, moi, qu'elle .... (7) (**mourir**) avant dix-huit ans !

Les bonnes fées corrigent :

– Elle .... (8) (**rester**) en vie mais .... (9) (**se piquer**)

le doigt et .... (10) (**s'endormir**). C'est le baiser d'un prince qui la

.... (11) (**réveiller**) et elle l'... (12) (**aimer**) tout de suite.

Le futur proche et le futur simple

11 Complétez avec les verbes au futur simple. Formuler une promesse

1. – Chéri, tu es en retard !

   – Excuse-moi, c'est la dernière fois, demain, c'est sûr je **ne serai pas en retard**.

2. – Pourquoi est-ce que tu n'as pas téléphoné ?

   – J'ai oublié mais la prochaine fois, je ....

3. – C'est encore moi qui ai fait la vaisselle !

   – Écoute, ce soir, je la ....

4. – Tu ne m'emmènes jamais au cinéma !

   – Bon, à partir de maintenant, je t' .... au cinéma une fois par semaine.

5. – On ne va pas souvent au restaurant !

   – On .... au restaurant demain soir, c'est promis !

6. – Nous ne partons jamais en week-end !

   – Au printemps, nous .... en week-end tous les deux.

L'HYPOTHÈSE DANS LE FUTUR	EXEMPLE
Si + verbe au **présent**, verbe au **futur**	S'il **fait** beau, nous **ferons** une grande randonnée et nous **emporterons** un pique-nique.

12 Conjuguez les verbes au présent ou au futur simple. Faire une hypothèse dans le futur

1. Si tu **viens** (**venir**), je **ferai** (**faire**) la cuisine pour toi.

2. Si je .... (**faire**) la cuisine, je te .... (**préparer**) de bons petits plats.

3. Si je t'en .... (**préparer**), tu me .... (**féliciter**).

4. Si tu me .... (**féliciter**), je .... (**être**) heureux.

5. Si je .... (**être**) heureux, je te .... (**sourire**).

6. Si nous .... (**se sourire**), la vie .... (**être**) belle !

13 Conjuguez les verbes au présent ou au futur simple. Faire une hypothèse dans le futur

1. Si vous **allez** (**aller**) à Paris, vous .... (**voir**) des gens pressés.

2. Vous .... (**pouvoir**) voir tous les films que vous voulez,

   si vous .... (**aimer**) le cinéma.

Le futur proche et le futur simple

3. Si vous .... **(vouloir)** vous loger, ce .... **(être)**
    un peu difficile et vous .... **(payer)** peut-être cher.

4. Si vous .... **(se promener)** dans les magasins,
    vous .... **(trouver)** beaucoup de belles choses.

5. Vous .... **(se sentir)** fatigué les premiers jours,
    si vous .... **(ne pas avoir l'habitude)** du bruit et de la foule.

6. Si vous .... **(aimer)** cette ville, vous la ....
    (quitter) à regret.

C L'UTILISATION DU FUTUR PROCHE ET DU FUTUR SIMPLE

14 Soulignez le verbe correct.

1. Attention, tu **vas tomber/tomberas** !
2. Vite, vite, Michel **va arriver/arrivera** !
3. Quand je **vais être/serai** grand, je **vais travailler/travaillerai** dans l'informatique.
4. Attention, tu **vas te faire mal/te feras mal** !
5. Attends, j'arrive, je **vais t'aider/t'aiderai** !
6. C'est l'heure, il **va falloir/faudra** se préparer.
7. Quand ils **vont avoir/auront** leur diplôme, ils **vont travailler/travailleront**.
8. Dépêche-toi, nous **allons manquer/manqueront** le train !

15 Complétez avec les verbes au futur proche ou au futur simple.

Désaccords

1. – Vous allez peut-être en discuter ?   – *Non ! On n'en discutera pas !*
2. – Il va peut-être lui dire ?   – .... !
3. – .... ?   – Non, elle ne me racontera pas !
4. – Ils vont peut-être nous expliquer ?   – .... !
5. – .... ?   – Non, je ne changerai pas d'avis !
6. – Nous allons peut-être en parler ?   – .... !

BILAN

1 Conjuguez les verbes au présent, au futur proche ou au futur simple.

Dans l'avion

L'hôtesse : Mesdames et messieurs, bienvenue à bord. Installez-vous et attachez vos ceintures. Nous .... (1) **(partir)**, l'avion .... (2) **(décoller)** dans quelques instants.

Le commandant : Mesdames et messieurs, c'est le commandant qui vous parle. Nous .... (3) **(voler)** à une altitude de 10 000 mètres et nous .... (4) **(aller)** à une vitesse de 900 km/h. Si les conditions météo le .... (5) **(permettre)**, le vol .... (6) **(durer)** trois heures et nous .... (7) **(atterrir)** à Istanbul à 12 h 30. Maintenant, les hôtesses .... (8) **(faire)** les recommandations d'usage et elles .... (9) **(servir)** un repas dans une demi-heure environ. Je vous .... (10) **(souhaiter)** un agréable voyage avec Europair.

2 Conjuguez les verbes au présent, au futur proche ou au futur simple.

– Je crois qu'il .... (1) **(falloir)** annuler notre petite randonnée ce week-end.

– Pourquoi ?

– Écoute ce que dit la météo : « Demain, le temps .... (2) **(être)** très instable, il .... (3) **(pleuvoir)** dans le centre. Quelques éclaircies .... (4) **(apparaître)** en fin de journée ».

– Oui, effectivement, ce n'est pas formidable mais ce n'est pas grave, s'il .... (5) **(faire)** mauvais, nous .... (6) **(ne pas camper)**, nous .... (7) **(aller)** à l'hôtel et nous .... (8) **(s'organiser)** sur place.

– D'accord, je .... (9) **(préparer)** les sacs tout de suite.

Le futur proche et le futur simple — Bilan

3 Conjuguez les verbes au présent, au futur proche ou au futur simple.

Dernières recommandations avant l'examen

–Le jour de l'examen oral, il .... (1) **(ne pas falloir)** être en retard !

Et vous .... (2) **(faire)** attention à votre présentation ! Les garçons,

vous .... (3) **(laisser)** votre casquette chez vous, et les filles, si vous

.... (4) **(aimer)** les bijoux fantaisie, vous .... (5)

(ne pas les porter) ce jour-là !

– Ils .... (6) **(nous interroger)** tout de suite sur le programme ?

– Naturellement ! Et si vous .... (7) **(le revoir)** attentivement, vous

.... (8) **(réussir)** sans difficulté ! Nous .... (9)

(le réviser) ensemble à partir de maintenant. Si vous .... (10) **(être)**

sérieux, il .... (11) **(ne pas y avoir)** de problèmes !

Vous pouvez faire l'évaluation 1, pages 130-131.

4 'LES EXPRESSIONS DE TEMPS

➤ Informer sur la date, le moment, la durée ➤ S'informer sur le moment et la durée

A SE SITUER DANS LE TEMPS

FORMES	EXEMPLES
à partir de	J'arrête de fumer **à partir de** demain.
jusqu'à	Il travaille **jusqu'à** vendredi.
de... à	Je voyagerai **du** 15 **au** 19 mars.
pas d'article **en, au** **à** **le, la**	On va au cinéma lundi / lundi prochain. Il est revenu **en** avril / **au** printemps / **en** 2000. Il est arrivé **à** huit heures / **à** Noël. Il est né **le** 28 décembre. Il va à la piscine **le** lundi.
futur proche, futur simple ou présent **+ dans**	Nous rentrerons **dans** trois jours.
passé composé **+ il y a**	Elle est passée **il y a** dix minutes.

Attention ! Pour préciser le moment présent, on dit : *cette semaine*, *cette année*, *ce mois-ci*.
Pour préciser un moment sans relation avec le présent, on dit : *ce jour-là*, *ce mois-là*, *cette année-là*.

1 Soulignez la forme correcte.

Loisirs

1. Le cirque Filona restera à Paris **jusqu'en/jusqu'au** juin.

2. L'exposition sera à Londres **à partir de/à partir du** 2 juillet **jusqu'à/jusqu'au** 9 septembre.

3. La galerie sera ouverte **à partir de/à partir des** 10 heures **jusqu'à/jusqu'aux** 18 heures.

4. Le musée est fermé pour rénovations **jusqu'en/jusqu'au** mois de mai.

5. Le zoo ouvre ses portes tous les jours **à partir de/à partir des** 9 heures.

6. Vous pouvez retirer vos billets **à partir de/à partir du** demain matin 11 heures

   jusqu'à/jusqu'en jeudi soir 20 heures.

2 Complétez si nécessaire avec *le*, *la*, *ce* ou *cette*.

Informer sur la date

En général, Yvette fait sa lessive *le* (1) lundi. Mais .... (2) lundi dernier, elle n'a pas eu

le temps. .... (3) lundi prochain, elle fera sa lessive comme d'habitude. Chez Yvette,

.... (4) mardi, c'est le jour du repassage et .... (5) mercredi, c'est le jour du ménage.

Mais, ... (6) semaine, elle doit aller chez sa mère ; alors le repassage et le ménage attendront

Les expressions de temps

.... (7) mardi et .... (8) mercredi prochains. .... (9) samedi, c'est le jour des courses, mais .... (10) samedi dernier, le fils d'Yvette a eu un accident de moto, alors elle a dû passer six heures à l'hôpital .... (11) jour-là. Les courses, ce sera pour .... (12) samedi prochain. Yvette aura beaucoup de travail .... (13) semaine prochaine !

3 Complétez avec *le, en, à* ou *au*.

1. *Le* 1ᵉʳ mai, c'est la fête du travail. Il y a beaucoup d'autres jours fériés .... mai.

2. .... juillet 1789, le peuple parisien a pris la Bastille. .... 14 juillet est devenu la fête nationale française.

3. .... minuit, ... 31 décembre, on se souhaite la bonne année.

4. En France, l'école est devenue obligatoire et gratuite .... 1882.

5. De nos jours, les écoliers français sont en vacances .... juillet et .... mois d'août, ... Noël et .... Pâques. Ils ont aussi deux semaines .... hiver et deux semaines .... printemps.

4 Complétez avec *il y a* ou *dans*.
(Rétablissez l'apostrophe si nécessaire.)

Commérages

– Madame Martin, vous connaissez Sophie, la fille de ma voisine ?

– Oui, bien sûr.

– Eh bien, vous savez que Sophie a eu une voiture de sport *il y a* (1) quelque temps.

– Vous me l'avez dit .... (2) deux ou trois mois. Elle est passée devant chez moi à toute vitesse .... (3) trois ou quatre jours.

– Eh bien, sa mère m'a dit ce matin qu'elle allait changer de voiture .... (4) une semaine.

– Pourquoi ? L'autre voiture ne marchait plus ?

– Je ne sais pas. Une chose est sûre, les parents vont encore payer. Quand je pense que .... (5) vingt-cinq ans, mon mari et moi avons travaillé dur pour acheter notre première voiture.

– La vie a bien changé !

– Je vous laisse. Je reviens .... (6) une heure ou deux.

5 Complétez avec *il y a, le, de... à, jusqu'à, dans.*

Nouveaux horaires de la bibliothèque

La direction s'est réunie ***il y a*** (1) deux semaines et a décidé de proposer de nouveaux horaires.

.... (2) mois prochain, ... (3) 1er février exactement, la bibliothèque sera

ouverte .... (4) 9 heures .... (5) 20 heures. .... (6) mardi et

.... (7) jeudi, il sera possible de rester .... (8) 22 heures. .... (9)

6 mois, nous ferons un bilan.

B L'EXPRESSION DE LA DURÉE

FORMES	EXEMPLES
il y a... que cela fait... que depuis depuis que	Il y a trois heures **que** tu regardes la télévision. **Cela fait** cinq ans **que** Paul a déménagé. Je joue au tennis **depuis** trois ans. Il va mieux **depuis qu'**il fait du sport.
pendant pendant que	Nous sommes partis **pendant** quinze jours. Je regarde la télévision **pendant que** tu lis.
pour	Elle vient à Paris **pour** trois jours.
en	Il a fait son exercice **en** cinq minutes.

Attention ! Les expressions *il y a... que...* et *cela fait... que...* ont le même sens que *depuis* mais se placent en début de phrase.

6 Transformez.

1. Il conduit depuis seize ans. (**Cela fait... que**) *Cela fait seize ans qu'il conduit.*

2. Il ne va plus à l'étranger depuis un an. (**Il y a... que**)

    ....

3. Il a acheté un nouveau camion il y a six mois. (**Cela fait... que**)

    ....

4. Il n'a pas eu d'accident depuis longtemps. (**Il y a... que**)

    ....

5. Il a mal au dos depuis quelques mois. (**Il y a... que**)

    ....

6. Il a passé son permis de conduire il y a seize ans. (**Cela fait... que**)

    ....

7 Complétez avec *depuis* ou *depuis que*.
(Rétablissez l'apostrophe si nécessaire.)

1. ***Depuis que*** je suis né, j'habite à Paris.
2. Je veux être médecin .... je suis enfant.
3. .... l'âge de huit ans, je joue de la guitare.
4. Je conduis .... je suis majeur.
5. .... la fin de mes études, je travaille dans un hôpital.
6. .... j'ai rencontré Sylvie, je suis un homme heureux.
7. Nous avons eu trois enfants .... notre mariage.

8 Complétez avec *pendant* ou *pendant que*.
(Rétablissez l'apostrophe si nécessaire.)

Informer sur le moment

Le boulanger

1. ***Pendant*** la nuit, il travaille.
2. .... la journée, il dort.
3. .... il travaille, sa femme dort.
4. .... sa femme dort, le boulanger fait du pain.
5. .... le pain cuit, le boulanger surveille le four.
6. .... il surveille le four, il pense.
7. Il pense que, ... longtemps encore, il devra faire le pain.

9 Complétez avec *pendant, pendant que, depuis*
ou *depuis que*. (Rétablissez l'apostrophe si nécessaire.)

Informer sur la durée

1. Arthur habite à Lyon ***depuis*** six mois.
2. Avant, il a habité à Marseille .... trois ans.
3. Il a perdu son travail .... il était à Marseille.
4. Puis, il a rencontré Julie .... l'été.
5. .... il a rencontré Julie, il est moins triste.
6. Julie habitait déjà Lyon .... une dizaine d'années.
7. .... leur rencontre, Arthur et Julie ne se quittent plus !

10 Complétez avec *en* ou *pendant*.

1. Je suis allé de Paris à Fontainebleau ***en*** une heure.
2. J'ai visité le château tout entier .... deux heures !

3.   Je me suis promené dans le parc .... quelques heures.

4.   Je suis rentré à Paris .... une heure et demie.

5.   Je me suis reposé .... vingt minutes.

6.   Je me suis rendu au restaurant .... dix minutes.

7.   J'ai retrouvé des amis et nous avons discuté .... plusieurs heures.

11   Complétez avec *pour, pendant* ou *pendant que.*

– Vous êtes resté ici, loin du monde, **pendant** (1) plus de deux mois ?

– Oui, Monsieur. Un dimanche, j'étais parti .... (2) une ou deux heures

et .... (3) je montais la colline, j'ai découvert cette grotte magnifique.

– Alors, ... (4) tout ce temps-là, vous n'avez vu personne ?

– Non.

– Que faisiez-vous .... (5) vos journées ?

– .... (6) la journée, j'explorais les galeries et la nuit, je dormais.

– Avez-vous découvert des dessins sur les murs .... (7) vous étiez

dans la grotte ?

– Oui, beaucoup, mais je suis sûr qu'il y a des choses à découvrir .... (8)

des années et des années encore.

C   LES QUESTIONS SUR LE MOMENT ET LA DURÉE

LE MOMENT	LA DURÉE
À quelle heure est-ce que vous venez ? **Quand** vas-tu téléphoner ? **Jusqu'à quand** restez-vous ? **Depuis quand** travaillent-elles ?	**Il y a combien de temps qu'**il est ici ? **Depuis combien de temps** tu attends ? **Pendant combien de temps** est-ce que tu as attendu ? **Dans combien de temps** tu reviens ?

12   Associez.

*S'informer
sur le moment
et la durée*

1. Tu es arrivé quand ?   a. Jusqu'au mois prochain.

2. Tu restes ici jusqu'à quand ?   b. À partir de la semaine prochaine.

3. Depuis combien de temps tu es là ?   c. Oui, du lundi au vendredi.

4. Tu commences ton travail à partir de quand ?   d. Le 8 mars.

5. Tu travailles toute la semaine ?   e. Depuis début mai.

6. Il y a combien de temps que tu es arrivé ?   f. Il y a trois jours.

7. Tu t'occupes de ce dossier depuis quand ?   g. Depuis huit semaines.

1.	2.	3.	4.	5.	6.	7.
d						

13 **Posez les questions avec *combien de temps*.**
(Utilisez *est-ce que*.)

S'informer sur le moment et la durée

1. Il a étudié pendant six ans.

    Pendant combien de temps est-ce qu'il a étudié ?

2. Il n'a pas pris de vacances depuis deux ans.

    ....

3. Il part en voyage pour trois semaines.

    ....

4. Il a réservé depuis trois mois.

    ....

5. Il prend l'avion dans dix jours.

    ....

14 **Mettez dans l'ordre.**
(Le premier mot commence par une majuscule.)

1. est-ce que / prépares / En / te / tu / combien de temps / ?
    En combien de temps est-ce que tu te prépares ?

2. ici / pour / tu / est-ce que / mets / ? / Combien de temps / venir

    ....

3. tu / Depuis / attends / ? / combien de temps / est-ce que

    ....

4. est-ce que / quand / dans / tu / Depuis / ? / travailles / entreprise / cette

    ....

5. tu / à / Pendant / rester / ? / Rome / combien de temps / vas / est-ce que

    ....

6. as / ? / tu / Il y a / commencé / que / combien de temps

    ....

7. à / pars / tu / Pour / est-ce que / New-York / ? / combien de temps

    ....

Les expressions de temps

BILAN

1 Complétez avec les expressions de temps correctes.

Interview

– Christian Fery, vous avez vingt-huit ans, vous avez fait le tour du monde à vélo. Pouvez-vous,

.... (1) quelques minutes, vous présenter à nos auditeurs.

– J'ai toujours aimé l'aventure. .... (2) l'âge de seize ans, j'ai fait le tour

de Bretagne .... (3) deux mois. .... (4) ce voyage,

j'ai fait beaucoup de rencontres et je me suis dit : « .... (5) dix ans,

je ferai le tour du monde ».

– .... (6) avez-vous décidé de faire ce voyage ?

– .... (7) cinq ans. .... (8) six mois, j'ai travaillé,

j'ai contacté des sponsors ; je me suis entraîné trois heures par jour.

– .... (9) avez-vous mis pour faire ce tour du monde ?

– Dix-huit mois.

– Et vous pensez repartir bientôt ?

– Probablement .... (10) un an ou deux.

2 Complétez avec les expressions de temps correctes.
(Plusieurs réponses sont possibles.)

– Monsieur, me permettez-vous de vous poser quelques questions ?

– Bien sûr.

– .... (1) est-ce que vous travaillez dans ce restaurant ?

– Plus de dix ans.

– .... (2) quelle année est-ce que vous avez commencé ?

– .... (3) 1990.

– .... (4) quelle heure est-ce que vous êtes ici le matin ?

– Ça dépend : quelquefois, je commence .... (5) 5 heures et

d'autres jours .... (6) 7 heures.

– .... (7) vous avez commencé *Chez Julien*, vous avez eu une promotion ?

– Oui. Une promotion intéressante.

– Vous avez toujours travaillé ici ?

– Non ! Je suis resté dans un restaurant en province .... (8) quatre ans.

– Vous pensez rester ici .... (9) combien de temps encore ?

– J'ai l'intention de partir .... (10) un an ou deux.

– .... (11) combien de temps au total que vous travaillez dans la restauration ?

– Presque quinze ans. Mon rêve, c'est d'acheter mon restaurant, être mon propre patron.

3 **Complétez avec les expressions de temps correctes.**

Flash infos

Chers auditeurs, bonjour. Il est 12 h 30.

Nous sommes sans nouvelles .... (1) quarante-huit heures de Marc

Lemarain, un des participants de la course à la voile qui a commencé .... (2)

une semaine à La Rochelle.

Le Tour de France ! C'est parti .... (3) trois semaines ! Les coureurs prennent le départ cet après-midi .... (4) 14 heures. Bon courage à tous ! Je vous rappelle qu'.. (5) 1926, les participants ont fait 5 747 km .... (6) moins de deux semaines.

Et puis, un fait divers peu banal. Le ministre de l'Intérieur, Monsieur Chavant, s'est fait voler sa

voiture .... (7) environ une heure. Cela s'est passé .... (8)

il était en réunion avec des représentants de la police. Il y est arrivé .... (9)

10 heures et en est reparti .... (10) 11 h 30. C'est donc

.... (11) cette période que sa voiture a disparu.

Je vous remercie de votre attention. Notre prochain bulletin d'informations :

.... (12) une demi-heure exactement.

L'INTERROGATION

➤ Demander des informations sur une personne, une chose, une action, un lieu

➤ Demander des précisions sur une chose, un lieu, une personne

A LES QUESTIONS AVEC EST-CE QUE... ?

■ Qui, que, comment, pourquoi, où, combien, quand, à quelle heure

1 Associez.

> Demander des informations sur une action

Paris — Londres

1.	Comment est-ce qu'il a voyagé ?	a. Avec personne. Il a voyagé seul.
2.	Qui est-ce qu'il connaît à Londres ?	b. À 17 h 30.
3.	Pourquoi est-ce qu'il est allé à Londres ?	c. De la gare du Nord à Paris.
4.	Avec qui est-ce qu'il était ?	d. Trois heures.
5.	À quelle heure est-ce qu'il est arrivé ?	e. Parce qu'il avait une conférence.
6.	Combien de temps est-ce qu'il a mis ?	f. Personne.
7.	D'où est-ce qu'il est parti ?	g. Hier.
8.	Quand est-ce qu'il a pris le train ?	h. En train.

1.	2.	3.	4.	5.	6.	7.	8.
h							

2 Posez les questions avec un mot interrogatif et *est-ce que*.

> Demander des informations sur une action

Quel curieux !

Clément : *Qu'est-ce que* vous faites (1) ce soir ?

Le père : On sort dîner.

Clément : .... (2) vous allez dîner ?

Le père : Dans un petit restaurant italien.

Clément : .... (3) vous y allez ?

Le père : Avec Jeanne et Pascal.

Clément : .... (4) vous allez au restaurant ?

Le père : Pour fêter l'anniversaire de Jeanne.

Clément : Et après, ... (5) vous faites ?

Le père : Je ne sais pas. Ça dépendra de l'heure.

Clément : .... (6) vous allez rentrer ?

Le père : Pas avant minuit.

Clément : Et moi, alors, ... (7) je vais aller chez mes copains ce soir ?

Le père : On t'accompagne en voiture quand on part vers 19 h 30, ça te va ?

Clément : Oui, merci, c'est parfait.

---

3 Complétez avec un mot interrogatif et *est-ce que*.

avec qui   ~~avec quoi~~   pour qui   sur quoi   combien   à quoi

Anne : *Avec quoi est-ce que* (1) tu as fait cet objet ?

Bernadette : Avec du tissu et du bois.

Anne : .... (2) tu as copié ?

Bernadette : Sur un magazine d'art décoratif.

Anne : .... (3) ça sert ?

Bernadette : À rien de spécial. C'est décoratif.

Anne : .... (4) tu l'as fabriqué ?

Bernadette : Avec personne. Je l'ai fait seule.

Anne : .... (5) tu l'as fait ?

Bernadette : Pour ma sœur.

Anne : .... (6) ça t'a coûté ?

▪ *Qui est-ce qui, qui est-ce que (qu'), qu'est-ce qui, qu'est-ce que (qu')*

EXEMPLES	
Personnes	- **Qui est-ce qui** a téléphoné ? – Paul. - **Qui est-ce que** tu as vu ? – Personne.
Choses	- **Qu'est-ce qui** s'est passé ? – Rien de spécial. - **Qu'est-ce que** tu veux ? – Une glace.

4 **Associez.**

A/

1. Qui est-ce qui
2. Qui est-ce que (qu')

a. veut venir avec moi ?
b. tu invites pour ton anniversaire ?
c. il a rencontré hier ?
d. aime ça ?
e. vous regardez comme ça ?

1				
a.	b.	c.	d.	e.

B/

1. Qu'est-ce qui
2. Qu'est-ce que (qu')

a. elle en pense ?
b. va se passer ?
c. est écrit dans les journaux, ce matin ?
d. vous avez commandé ?
e. ne va pas ?

a.	b.	c.	d.	e.

5 **Complétez avec *qu'est-ce qui, qu'est-ce que, qui est-ce qui, qui est-ce que.***

Vous pouvez répéter ?

1. – **Sébastien** part avec moi.

   – Pardon, ***qui est-ce qui*** part avec toi ?

2. – Je connais seulement **Jeanne et Dominique**, pas les autres.

   – Excuse-moi, ... tu connais ?

3. – C'est **Paul** qui m'a offert ces fleurs.

   – Comment, ... t'a offert ces fleurs ?

4. – J'ai découvert **un livre fabuleux**.

   – Ah bon ? .... tu as découvert ?

5. – **Je ne me sens pas bien**.

   – Pourquoi, ... ne va pas ?

6. – Je vais appeler **Christine**.

   – .... tu vas appeler ?

7. – **Mes amis brésiliens** arrivent demain.

   – Pardon, ... arrive demain ?

8. – **Il va y avoir une terrible tempête de neige**.

   – Quoi ? .... va se passer ?

■ *Qu'est-ce que... comme, quoi comme...*

DEMANDER UNE PRÉCISION	
- J'ai une voiture.	- Tu as **quoi comme** voiture ? (familier)
- Il cherche un appartement.	- **Qu'est-ce qu'**il cherche **comme** appartement ? (courant)

6 **Posez des questions avec *qu'est-ce que... comme*.**

Demander des précisions sur une chose, un lieu

1. J'ai découvert une nouvelle boutique.

   Qu'est-ce que tu as découvert comme boutique ?

2. J'ai acheté un superbe manteau.

   .... ?

3. Ensuite, j'ai visité une galerie.

   .... ?

4. Après, avec Luc, on a vu un très bon film.

   .... ?

5. Et puis on a trouvé un nouveau restaurant.

   .... ?

7 **Transformez les questions.**

Demander des informations sur une chose

Au restaurant

1. Qu'est-ce que tu choisis comme menu ?

   Tu choisis quoi comme menu ?

2. Qu'est-ce que tu prends comme apéritif ?

   .... ?

3. Qu'est-ce que tu veux comme entrée ?

   .... ?

4. Qu'est-ce qu'on commande comme vin ?

   .... ?

5. Qu'est-ce que tu veux comme légumes avec le steak ?

   .... ?

6. Qu'est-ce qu'on prend comme dessert ?

   .... ?

8 **Posez des questions avec *qu'est-ce que... comme* (courant) ou *quoi comme...* (familier).**

Demander des précisions sur une chose

Ils sont comme ça.

1. Ils lisent *Le Monde*. (**journal**) *(courant)*   *Qu'est-ce qu'ils lisent comme journal ?*

2. Ils font de l'équitation. (**sport**) *(familier)*

   .... ?

3. Ils jouent de la guitare. (**instrument**) *(courant)*

   .... ?

4. Ils prennent de la bière. (**boisson**) *(familier)*

   .... ?

5. Ils aiment les romans. (**livres**) *(courant)*

   .... ?

6. Ils portent des costumes. (**vêtements**) *(familier)*

   .... ?

7. Ils conduisent un cabriolet. (**voiture**) *(courant)*

   .... ?

B L'ADJECTIF *QUEL* ET LE PRONOM *LEQUEL*

EXEMPLES	ADJECTIFS	PRONOMS
Passe-moi le dictionnaire sur la table !	**Quel** dictionnaire ?	**Lequel ?**
Regarde la fille là-bas !	**Quelle** fille ?	**Laquelle ?**
Donne-moi des ciseaux, s'il te plaît !	**Quels** ciseaux ?	**Lesquels ?**
Montrez-moi ces lunettes, là !	**Quelles** lunettes ?	**Lesquelles ?**

9 **Complétez avec *quel, quelle, quels* ou *quelles* à la forme correcte.**

Demander des informations sur un lieu

1. – *Quelle* est la capitale du Canada ? – Je ne sais pas, Ottawa ou Toronto.

2. – .... est le plus long fleuve de France ? – Je le sais, c'est la Loire.

3. – .... sont les montagnes qui séparent la France de l'Espagne ?
   – Les Pyrénées.

4. – .... est le plus grand désert du monde ? – Je ne sais pas, le Sahara peut-être ?

5. – .... est le sommet le plus haut d'Europe ? – Le Mont-Blanc.

6. – .... sont les pays frontaliers de l'Espagne ? – Facile, la France et le Portugal.

7. – .... sont les îles des Antilles françaises ? – La Guadeloupe et la Martinique.
   Il y en a d'autres ?

8. – .... est la ville la plus peuplée du monde ? – J'hésite. Mexico, Tokyo ?

10 Complétez avec *lequel, laquelle, lesquels* ou *lesquelles.*

Demander des précisions sur une chose

Brigitte : Regarde le pantalon, là !

Christine : *Lequel* (1) ? Le noir ?

Brigitte : Et la chemise à côté !

Christine : .... (2) ? La blanche ou la jaune ?

Brigitte : Tu vois l'anorak bleu ?

Christine : Non, ... (3) ?

Brigitte : Regarde ces gants en laine !

Christine : .... (4) ? Les gris ? Ils ne sont pas beaux.

Brigitte : Et les lunettes de soleil, là, à gauche.

Christine : .... (5) ?

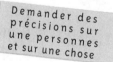

Les grosses ou les petites ?

Brigitte : Et ces bottes, elles ne sont pas mal, non ?

Christine : .... (6) ? Les noires ?

Brigitte : La veste en cuir, tu la trouves comment ?

Christine : .... (7) ? La rouge ?

Brigitte : Regarde l'imperméable gris !

Christine : .... (8) ? Le long ?

Brigitte : Eh bien, tu n'es pas très enthousiaste !

Christine : Non, tu sais, moi, les courses, je n'aime pas trop ça.

Brigitte : Pourquoi est-ce que tu ne l'as pas dit avant ?

11 Complétez avec *quel* ou *lequel* à la forme correcte.

Demander des précisions sur une personnes et sur une chose

Une surprise

– Pour l'anniversaire de Sandrine, j'ai une idée : on va lui faire une surprise.

– *Quelle* (1) surprise ?

– On va organiser une fête ! D'abord, on invite sa cousine.

– .... (2) cousine ?

– Celle qui habite à Bordeaux.

– .... (3) exactement ? Sandrine a deux cousines à Bordeaux, je crois.

– Comment elle s'appelle déjà ? Ah oui, Lucie, c'est ça ?

– Oui.

– Et puis tous ses copains de lycée.

– .... (4) ? Pas Christophe et Mathieu, elle ne les aime pas beaucoup.

– Eux, non, bien sûr, mais les autres. Et puis, on va lui faire un gros gâteau.

– .... (5) genre de gâteau ? Pas une tarte, elle déteste ça.

– Oui, je sais. Un gâteau aux amandes ?

– .... (6) ? Le gâteau que tu nous as fait pour mon anniversaire ?

– Oui, pourquoi pas ? Et je vais lui acheter un C.D. de Francis Cabrel.

– .... (7) ? Elle les a tous, je crois !

– Attends, j'ai une meilleure idée !

– Ah oui ? .... (8) ?

C LA QUESTION AVEC L'INVERSION

TEMPS SIMPLES	Où habitait-elle ? Comment s'appelle-t-il ? Y a-t-il assez de pain pour dîner ?
TEMPS COMPOSÉS	Avez-vous fini ? Quel jour est-il arrivé ? Où a-t-elle perdu son sac ?

Attention ! Le verbe et le pronom sont reliés par un trait d'union. *Avez-vous fini ?*
Si le verbe ou l'auxiliaire se termine par une voyelle et que le pronom sujet commence
par une voyelle, on ajoute *-t* : *Comment s'appelle-t-il ? / Y a-t-il un train vers 8 heures ? /
Où a-t-elle perdu son sac ?*

12 Transformez les questions.

Demander des informations sur une action

1. Est-ce que vous avez fait bon voyage ?

    Avez-vous fait bon voyage ?

2. À quelle heure est-ce que vous êtes partis ce matin ?

    .... ce matin ?

3. Comment est-ce que vous êtes allés à la gare ?

    .... à la gare ?

4. Qu'est-ce que vous avez fait dans le train ?

    .... dans le train ?

5. Combien de temps est-ce que vous avez attendu le taxi ?

    .... le taxi ?

6. Est-ce que vous avez mangé quelque chose ?

    .... quelque chose ?

13 Transformez les questions.

Premier jour à l'école de langues

EST-CE QUE ?	INVERSION
1. Comment est-ce que vous vous appelez ?	*Comment vous appelez-vous ?*
2. Qu'est-ce que vous faites dans la vie ?	.... ?
3. Combien de langues est-ce que vous parlez ?	.... ?
4. Pourquoi est-ce que vous étudiez le français ?	.... ?
5. Est-ce que vous allez passer des examens ?	.... ?
6. Où est-ce que vous habitez ?	.... ?
7. Comment est-ce que vous venez à l'école ?	.... ?
8. À quelle heure est-ce que vous partez de chez vous ?	.... ?

14 Posez des questions avec l'inversion.

Jean Leroy
25, allée Jacques Cartier
Montréal, Québec, X3V 2B7
Canada

Office du Tourisme de Chamonix
74400 – Chamonix
France

Montréal, le 12 avril 2000

Messieurs,

J'ai l'intention de passer mes vacances d'été à Chamonix et je me permets de m'adresser à vous afin d'obtenir les renseignements suivants.

(1) **(Il fait quel temps)** *Quel temps fait-il* en été ?

(2) **(Il neige)** .... en cette saison ?

(3) **(On peut)** .... faire l'ascension du Mont-Blanc ?

(4) **(C'est)** .... dangereux ?

(5) **(Il faut)** .... un guide de haute montagne ?

(6) **(Vous me conseillez quoi)** .... ?

(7) **(Vous avez)** .... une liste d'hôtels et de locations ?

(8) **(Il y a)** .... une gare ?

Je vous remercie d'avance de votre réponse et vous prie d'agréer, Messieurs, l'expression de mes salutations distinguées.

Jean Leroy

BILAN

1 Complétez avec une interrogation.

(Utilisez la question avec *est-ce que* et la question avec l'inversion si possible.)

– Je commence à m'inquiéter ! Voyons, ... (1) est-il ?

Il n'est pas encore là. Minuit, déjà ! Mais, ... (2) il fait ?

.... (3) il ne m'a pas encore téléphoné ? Il a un téléphone

portable, pourtant ! .... (4) il est sorti ? Avec Julien ?

Il ne m'a rien dit. .... (5) ils sont allés ? Dans

.... (6) discothèque ? .... (7)

il peut être à cette heure-ci ? Dans un café ? Chez un copain ? À l'hôpital ? Il est peut-être avec

une de ses copines au cinéma. .... (8) ? Céline ? Aurélie ?

– Chérie ! Téléphone ! Tu réponds ?

– Allô ? C'est toi, Thomas ? .... (9) se passe ? Tout va bien ?

.... (10) tu dors ? Chez Julien ? Bon, d'accord, je suis rassurée,

j'étais très inquiète, tu sais. Bon, à demain.

2 Rédigez des questions. (Utilisez la question avec l'inversion et la question avec *est-ce que*. Utilisez le pronom *vous*.)

Je m'appelle **Camille**. J'ai **vingt et un ans**. J'ai **deux frères**. Je travaille **dans une banque,**
au Crédit Lyonnais. J'habite **avec une amie**. Comme sport, je fais **du ski**. J'aime beaucoup
les romans policiers. Je cherche un / une correspondant(e) **pour améliorer mon italien**.

1. ....

.... ?

2. ....

.... ?

3. ....

.... ?

4. ....

.... ?

5. ....
    .... ?

6. ....
    .... ?

7. ....
    .... ?

8. ....
    .... ?

3 **Complétez avec une interrogation.**
(Utilisez la question est-ce que si possible.)

La réceptionniste : Bonjour Madame, asseyez-vous.

Madame Lepage : Merci.

La réceptionniste : .... (1) vous voulez faire comme stage ?

Madame Lepage : Un stage d'informatique, pour mon travail.

La réceptionniste : .... (2) vous voulez le faire ?

Madame Lepage : Pendant les vacances de Pâques, si possible.

La réceptionniste : .... (3) programmes connaissez-vous ?

Madame Lepage : Le traitement de texte et Excel. Dites-moi, ... (4)
a lieu le stage ?

La réceptionniste : Ici, dans nos locaux.

Madame Lepage : .... (5) coûte le stage d'une semaine ?

La réceptionniste : 1 550 euros, en petits groupes, c'est-à-dire quatre personnes.

.... (6) vous pouvez remplir ce formulaire ?

Madame Lepage : Tout de suite ?

La réceptionniste : Oui s'il vous plaît. .... (7) vous réglez ?

Madame Lepage : .... (8) vous acceptez les cartes bancaires ?

La réceptionniste : Oui, bien sûr.

LA NÉGATION

➤ Refuser une proposition ➤ Informer sur les personnes

Temps simples (présent, futur simple...)	Ce matin, je **ne** vais **pas** bien, je **ne** me sens **pas** en forme.
Temps composés (passé composé...)	Hier soir, Paul **n'est pas** sorti. Je **n'ai pas** vu ce film.
Infinitif	Je t'ai dit de **ne pas** arriver en retard.
Verbe + infinitif	Je **ne** vais **pas** rentrer tard. Il **ne** peut **pas** comprendre.
Pronoms personnels compléments	Je **ne** lui ai **pas** téléphoné.

1 Répondez de façon négative.

Refuser une proposition

1. – Vous prenez une tasse de thé ?

   – Non merci, *je n'aime pas le thé* (ne pas aimer le thé).

2. – Vous voulez une cigarette ?

   – Non merci, ...*je ne fume pas*..................... (**ne pas fumer**).

3. – Vous venez avec nous ?

   – C'est gentil, mais malheureusement, ...*je n'ai pas le temps*..........

   (**ne pas avoir le temps**).

4. – Vous prenez un dessert ?

   – Non, pas maintenant, ...*je n'ai pas faim*............... (**ne pas avoir faim**).

5. – Vous désirez un cognac ?

   – Non, merci bien, ...*je ne bois pas d'alcool*.... (**ne pas boire d'alcool**).

2 Répondez de façon négative.

Un dimanche vraiment tranquille

1. – Qu'est-ce que tu as fait dimanche dernier ? Tu es sorti ?

   – Non, *je ne suis pas sorti.*

2. – Tu t'es levé tard ?

   – Non, ...*je ne me suis pas levé tard*............................... .

3. – Tu as regardé la télévision ?

   – Non, *je n'ai pas regardé la télévision* .

4. – Tu as lu ?

   – Non, *je n'ai pas lu* .

5. – Tu t'es promené ?

   – Non, *je ne me suis pas promené* .

6. – Tu as étudié ?

   – Non, *je n'ai pas étudié* .

– Mais alors, qu'est-ce que tu as fait ?

– Rien de spécial. Une amie est venue me voir. Alors, nous avons bavardé toute la journée.

3 Mettez dans l'ordre.

1. elle / travail / s' / ne / son / intéressait / pas / à   **Elle ne s'intéressait pas à son travail.**

2. pas / famille / s' / pour / inquiétait / elle / sa / ne

   Elle ne s'inquiétait pas pour sa famille

3. collègues / elle / pas / ne / habituait / ses / s' / à

   Elle ne s'habituait pas à ses collègues

4. amie / s' / ne / elle / occupait / son / de / pas

   Elle ne s'occupait pas de son amie

5. et / voulait / son / elle / aider / pas / ne / mari

   Et elle ne voulait pas aider son mari

Mais maintenant, tout a changé !

4 Transformez le texte.

Christophe, le râleur

Il n'arrête pas de parler de ses problèmes d'argent (1), de râler (2), de raconter ses malheurs (3),
de se plaindre de ses collègues (4), de pleurer sur les difficultés qu'il rencontre dans son travail (5)
et de critiquer tout le monde (6).

– Écoute chéri, je veux bien que tu invites ton ami Christophe ce soir, mais à une condition :
tu dois bien lui recommander de *ne pas parler de ses problèmes d'argent* (1),
de *ne pas râler* (2), de *ne pas raconter ses malheurs* (3),
de *ne pas se plaindre de ses collègues* (4), de *ne pas pleurer sur les difficultés* (5)
et de *ne pas critiquer tout le monde* (6). *qu'il rencontre dans son travail*

5 Transformez les phrases.

Un étudiant parfait ?

1. Il travaille le dimanche : il ne veut pas manquer d'argent.

   Il travaille le dimanche pour ne pas manquer d'argent.

2. Il étudie tous les soirs : il ne veut pas échouer à ses examens.

   Il étudie tous les soirs pour ne pas échouer à ses examens.

3. Il ne va pas à la discothèque avec ses amis : il ne veut pas être trop fatigué.

   Il ne va pas à la discothèque avec ses amis pour ne pas être trop fatigué

4. Il ne va pas au cinéma : il ne veut pas perdre de temps.

   Il ne va pas au cinéma pour ne pas perdre de temps.

5. Il est toujours à l'heure aux cours : il ne veut pas déranger ses professeurs.

   Il est toujours à l'heure aux cours pour ne pas déranger ses profs.

6. Il révise ses cours tous les jours : il ne veut pas prendre de retard.

   Il révise ses cours tous les jours pour ne pas prendre de retard.

7. Il se lève tôt : il ne veut pas arriver en retard à l'université.

   Il se lève tôt pour ne pas arriver en retard à l'université

B   NE... RIEN, NE... PERSONNE, NE... AUCUN

Rien ne Personne ne Aucun... ne	– Quelque chose est arrivé ? – Quelqu'un est venu ce matin ? – Tout le monde travaille ? – Les employés sont ici ?	– Non, **rien n'**est arrivé. – Non, **personne n'**est venu. – Non, **personne ne** travaille. – Non, **aucun** employé **n'**est ici.
ne... rien ne... personne ne... aucun	– Tu entends quelque chose ? – Il comprend tout ? – Tu as invité quelqu'un ? – Tu connais des actrices grecques ?	– Non, je **n'**entends **rien**. – Non, il **ne** comprend **rien**. – Non, je **n'**ai invité **personne**. – Non, je **ne** connais **aucune** actrice grecque.

6 Répondez de façon négative.

Au vernissage d'une exposition

1. Vous buvez quelque chose ?   *Non, je ne bois rien.*

2. Vous connaissez quelqu'un ici ?

   Non, je ne connais personne.

3. Quelque chose vous intéresse ?

   Non, rien ne m'intéresse

4. Quelqu'un vous accompagne ?

Non, personne ne m'accompagne .

5. Vous avez vu quelque chose d'original ?

Non, je n'ai rien vu d'original .

6. Quelque chose vous plaît ?

Non, rien ne me plaît .

7. Vous avez reconnu quelqu'un ?

Non, je n'ai reconnu personne .

7 **Complétez avec _il y a quelqu'un, il n'y a personne,_**
il y a quelque chose, il n'y a rien.

• _Chez le médecin :_

– Est-ce qu'_il y a quelqu'un_ (1) avec le docteur Mongenot ?

– Non, _il n'y a personne_ (2). Asseyez-vous, le docteur va vous recevoir.

• _Projets de sortie :_

– _il y a quelque chose_ (3) d'intéressant à voir au cinéma ?

– Non, en ce moment, _il n'y a rien_ (4) d'intéressant.

– Pourtant, _il y a quelqu'un_ (5) qui m'a parlé d'un nouveau film avec

Daniel Auteuil ; tu en as entendu parler ?

• _À la réception de l'hôtel :_

– _il y a quelque chose_ (6) pour moi ?

– Non Monsieur, _il n'y a rien_ (7) pour vous, pas de message.

Mais _il y a quelqu'un_ (8) qui a téléphoné pour parler à votre directeur.

8 **Complétez avec _aucun, aucune._**

Quel accueil !

– Nous cherchons un hébergement pour
une semaine. Est-ce que nous pouvons louer
un appartement dans le village ?

– Désolé, il n'y a **_aucun_** (1) appartement
à louer.

– Et des maisons ?

– Non plus, il n'y a _aucune_ (2)
maison à louer.

– Et les hôtels ?

– Tout est complet. ..... Aucun .... (3) hôtel ne pourra vous recevoir.

– Alors, peut-être que nous pouvons camper ?

– Malheureusement, ... aucun .... (4) terrain de camping n'est ouvert à cette période de l'année. Il reste encore des chambres chez l'habitant. Mais je vous préviens, si vous avez un chien, ce sera difficile : ... aucun .... (5) propriétaire n'accepte les animaux !

– Apparemment, il n'y a .... aucune .... (6) solution. Alors, allons voir ailleurs.

9 **Transformez les phrases avec** *aucun, aucune.*

Pas de chance !

1. Il n'a pas d'idée !   *Il n'a aucune idée !*

2. Il n'y a pas de place pour garer la voiture.
    Il n'y a aucune place pour garer la voiture.

3. Je n'ai pas de boulangerie dans mon quartier.
    Je n'ai aucune boulangerie dans mon quartier.

4. Il n'y a pas de bus après 22 heures.
    Il n'y a aucun bus après 22 heures.

5. Le dimanche, vous ne trouverez pas un seul magasin ouvert dans ce quartier.
    Le dimanche, vous ne trouverez aucun magasin ouvert dans ce quartier.

6. Tout est complet : il n'y a pas de réservation possible.
    Tout est complet : Il n'y a aucune réservation possible.

7. Désolé Madame, nous n'avons pas de pull en cachemire.
    Nous n'avons aucun pull en cachemire.

8. Vous n'avez pas de vol pour Nice après 23 heures.
    Vous n'avez aucun vol pour Nice après 23 heures.

10 **Dites le contraire.**

1. Tout le monde l'aime.   *Personne ne l'aime.*
2. Il s'intéresse à tout.   Il ne s'intéresse à rien.
3. Tous ses collègues l'admirent.   Aucun collègue ne l'admire.
4. Il parle à tout le monde.   Il ne parle à personne.
5. Tout lui plaît.   Rien ne lui plaît.
6. Il parle toutes les langues scandinaves. Il ne parle aucune langue scandinave
7. Tout le monde le trouve sympathique. Personne ne le trouve sympathique.

11 Complétez avec *ne... personne, ne... rien, ne... aucun(e).*

– Tu sais que j'ai acheté une vieille ferme dans un village très isolé de tout.

– Il y a des magasins, quand même ?

– Non, il *n'*y a *aucun* (1) magasin.

– Alors, au moins un café ?

– Non, il ...*n'*... y a .....*aucun*............. (2) café.

– Une pharmacie ?

– Non, il .....*n'*. y a ....*aucune*........... (3) pharmacie. Il ....*n'*. y a vraiment .....*rien*.............. (4).

– Tu connais au moins quelqu'un ?

– Non, je ..*ne*... connais ..*personne*...... (5).

– Alors qu'est-ce que tu fais ?

– Je ...*ne*. fais .....*rien*............ (6), je me repose !

C NE... JAMAIS, NE... PLUS, NE... PAS ENCORE

ne... jamais	Le matin, au petit déjeuner, je **ne** prends **jamais** de café, je préfère boire du thé.
ne... plus	Avant il fumait énormément, maintenant, il **ne** fume **plus**.
ne... pas encore	- Tu connais déjà quelques musées à Paris ? - Non, je **n'**ai **pas encore** eu le temps de me promener.

12 Transformez les phrases.

Informer sur les personnes

Mon directeur est vraiment très bien :

– Il écoute toujours ses employés.

– Il arrive toujours avant eux.

– Il a toujours de nouveaux projets.

– Il est toujours aimable.

– Il prend toujours le temps de parler avec ses collaborateurs.

Eh bien, moi, mon directeur c'est tout le contraire :

1. *Il n'écoute jamais ses employés.*

2. Il n'arrive jamais avant eux.

3. Il n'a jamais de nouveaux projets.

4. Il n'est jamais aimable.

5. Il ne prend jamais le temps de parler avec ses collaborateurs.

La négation

13 **Retrouvez les questions.**

Devine !

– Tu te souviens de Jean-Paul ? Tu sais, il était en stage avec nous. Eh bien, je l'ai revu la semaine dernière ; il n'a pas changé, sauf une chose... Devine !

– **Il n'habite plus à La Rochelle** (1) ?

– Si, il habite toujours à la Rochelle.

– Il n'a plus sa BMW ? ... (2) ?

– Si, il a toujours sa BMW.

– Il ne fume plus ? ... (3) ?

– Malheureusement, il fume toujours, peut-être plus qu'avant.

– Il ne vit plus avec Corinne ? ... (4) ?

– Si, il vit toujours avec Corinne. Ils sont mariés maintenant et ils ont un petit garçon de trois ans.

– Il ne travaille plus dans la même banque ? (5) ?

– Si, il travaille toujours dans la même banque.

– Écoute, je ne vois pas.

– Souviens-toi d'un détail physique !

– Ah oui, je vois, il ne porte plus la barbe ? ... (6) ?

– Exactement, il ne porte plus la barbe. Et en plus, il a les cheveux courts. Ce n'est vraiment plus le même style !

14 **Mettez dans l'ordre.**

Encore trop jeune !

1. encore / suis / pas / à / je / partie / l'étranger / seule / ne
   Je ne suis pas encore partie seule à l'étranger.

2. il / encore / n' / voté / a / pas
   Il n'a pas encore voté.

3. n' / permis / encore / nous / notre / avons / de / conduire / pas
   Nous n'avons pas encore notre permis de conduire.

4. pas / elle / a / encore / n' / travaillé
   Elle n'a pas encore travaillé.

5. argent / pas / je / d' / gagne / ne / encore
   Je ne gagne pas encore d'argent

6. d' / elles / pas / n' / appartement / encore / ont
   Elles n'ont pas encore d'appartement.

15 Complétez avec *ne... plus, ne... pas encore, ne... jamais.*

– Tu as vu le dossier Bigard ?

– Non, je **ne** l'ai **pas encore** (1) reçu. Cet après-midi peut-être. Tu sais, avec eux, c'est toujours la même chose, ils ...*ne*... respectent ...*jamais*... (2) les délais. Je me demande si on va continuer de travailler avec eux.

– Si on ...*ne*... travaille ...*jamais plus*. (3) avec eux, tu sais ce qu'on va faire ?

– Non, je ...*n'*... ai ...*pas encore*... (4) vraiment cherché. Tu sais, avec tout le travail maintenant, ce ...*n'*... est ...*plus*... (5) comme avant.

– Oui, mais là, on ne peut rien faire. Et tu as vu l'heure ? Je ...*n'*... ai ...*pas encore*... (6) tapé mon rapport.

– Et moi, je ...*ne*... suis ...*pas encore*... (7) passée voir M. Leparc.

– Ne t'inquiète pas, il ...*n'*... est ...*jamais*... (8) à l'heure.

– Tu as raison, je passerai le voir plus tard. Bon courage. À tout à l'heure !

D NE... QUE, SANS

ne... que	Le matin, je suis toujours en retard. Alors, je **ne** bois **qu'**un café. (= je bois uniquement un café).
sans + nom	Il est sorti **sans parapluie**. (= quand il est sorti, il n'avait pas de parapluie).
sans + infinitf	J'ai traduit cette lettre **sans utiliser** de dictionnaire. (= je n'ai pas utilisé de dictionnaire).

16 Associez.

· 1. Elle fait un régime,
· 2. Tu es trop fatigué, je te conseille
· 3. Je n'aime pas aller au cinéma seul,
· 4. Il ne connaît pas de chanteur de rock,
· 5. Il ne sait pas faire la cuisine,
· 6. Je n'ai jamais fait de camping,
· 7. Nous n'avons jamais visité le Mexique,
  8. Je ne comprends pas l'anglais,

· a. il n'écoute que de la musique classique.
· b. en vacances, je ne dors que dans des hôtels.
  c. je ne parle que le français et l'italien.
· d. de ne sortir qu'un soir par semaine.
· e. nous n'avons voyagé qu'en Europe et en Afrique.
· f. elle ne mange que des fruits et des crudités.
· g. je n'y vais qu'avec des amis.
· h. il ne sait préparer que des pâtes.

1.	2.	3.	4.	5.	6.	7.	8.
f	d.	g	a	h	b	e	c.

17 Répondez avec *ne... que.*

1. Tu fais beaucoup de sport ? **(du tennis)**

   Non, *je ne fais que du tennis.*

2. Tu achètes beaucoup de journaux ? (*Courrier International*)

   Non, *je n'achète que Courrier International* .

3. Ils apprennent plusieurs langues ? **(l'espagnol)**

   Non, *ils n'apprennent que l'espagnol* .

4. Elle joue de plusieurs instruments ? **(de la guitare)**

   Non, *elle ne joue que de la guitare* .

5. Ils écoutent beaucoup de musique ? **(du jazz)**

   Non, *ils n'écoutent que du jazz* .

6. Vous regardez beaucoup d'émissions à la télévision ? **(les films)**

   Non, ~~vous~~ *nous ne regardons que les films* .

7. Tu lis beaucoup ? **(des romans)**

   Non, *je ne lis que des romans* .

18 Transformez avec *sans.*

Comment est-ce possible ?

1. Comment peut-il vivre ? Il n'a pas d'argent !

   Comment peut-il vivre sans argent ?

2. Comment pourras-tu réussir ? Tu n'étudies pas !

   Comment pourras-tu réussir sans étudier? ?

3. Comment pourras-tu téléphoner ? Tu n'as pas de carte de téléphone !

   Comment pourras-tu téléphoner sans carte de téléphone? ?

4. Comment peut-elle vivre à Paris ? Elle ne parle pas français !

   Comment peut-elle vivre à Paris sans parler français? ?

5. Comment voulez-vous assister à cette réception ? Vous n'avez pas d'invitation !

   Comment voulez-vous assister à cette réception sans invitation? ?

6. Comment vas-tu taper ce rapport ? Tu n'as pas d'ordinateur !

   Comment vas-tu taper ce rapport sans ordinateur? ?

BILAN

1 Mettez dans l'ordre.

Drôle de personne !

1. soin / ne / ses / il / prend / de / vêtements / pas

   Il ne prend pas soin de ses vêtements.

2. amis / il / jamais / rencontrer / ne / veut / mes

   Il ne veut jamais rencontrer mes amis.

3. chien / jamais / il / ne / son / sort / sans

   Il ne sort jamais sans son chien.

4. n' / chez / il / lui / invite / personne

   Il n'invite personne chez lui.

5. aucun / ne / voisin / lui / parle

   Aucun voisin ne lui parle.

2 Répondez de façon négative. (Faites des phrases.)

Au poste de police

Le policier : Est-ce que vous étiez chez vous jeudi dernier ?

Le suspect : *Non, je n'étais pas chez moi* (1). J'étais sorti.

Le policier : Est-ce que vous étiez avec quelqu'un ?

Le suspect : *Non, je n'étais avec personne.* (2).

Le policier : Quelqu'un vous a vu ? Le patron d'un bar par exemple ?

Le suspect : *Non, personne ne m'a vu.* (3).

Je me suis promené seul.

Le policier : Et vous êtes rentré tard ?

Le suspect : *Non, je ne suis pas rentré tard.* (4).

Il était environ 7 heures du soir.

Le policier : Il y avait quelqu'un chez vous à ce moment-là ?

Le suspect : *Non, il n'y avait personne.* (5).

Ma femme était encore au travail.

Le policier : Ah bon, elle finit toujours très tard ?

Le suspect : *Non, elle ne finit jamais très tard.* (6).

Mais ce soir-là, exceptionnellement, elle avait une réunion de travail.

Le policier : Avez-vous quelque chose à ajouter ?

Le suspect : *Non, je n'ai rien à ajouter.* (7).

3 **Complétez avec une négation.** (Plusieurs réponses sont possibles.)

— Tu sais, j'ai un copain qui voyage ..*sans*.. (1) argent ! Il a fait le tour du monde ...*sans*... (2) un seul euro en poche !

— Ce ....*n'*.. est ...*pas*..... (3) possible ! Comment est-ce qu'il fait ?

— Il va dans les ports et il prend le premier bateau de commerce qui part. Il .....*ne*...... sait ..*jamais* (4) à l'avance où il va aller. Ça peut être l'Afrique, l'Amérique ou l'Asie.

— Sur le bateau, il ....*ne*.... fait ...*rien*... (5) ?

— Si, bien sûr, c'est la condition ! Il doit travailler, mais ce ......*n'*..... est ...*pas*.... (6) très compliqué. Généralement, il cuisine, il nettoie, il fait des petits boulots !

— Et après ?

— Quand le bateau arrive dans un pays qui lui plaît, il débarque. Tu sais, il .....*ne*..... connaît *personne* (7) dans ce nouveau pays, mais après une heure, il connaît plein de gens ! Je ....*ne*... sais ..*pas*..... (8) comment il fait !

— Tu ....*ne*... lui as ....*pas*.... (9) demandé ?

— Si, mais il ....*ne*... m'a ..*rien*.... (10) dit. C'est son secret !

Vous pouvez faire l'évaluation 2, pages 132-133.

L'ARTICLE

➤ Énumérer des choses ➤ Dire ce que l'on a fait
➤ Informer sur les personnes : habitudes

A LES ARTICLES INDÉFINIS ET DÉFINIS

LES ARTICLES	EXEMPLES
les articles indéfinis : **un, une, des (de)**	Nous avons **un** chien, **une** chatte, **des** perroquets et **de** beaux poissons.
les articles définis : **le, la , l', les**	**Le** chien, **la** chatte et **les** perroquets de ma voisine font beaucoup de bruit.

Attention ! Devant un adjectif, l'article indéfini **des** devient **de** ou **d'** : **d'**adorables enfants, **de** beaux tableaux.

1 Complétez avec *un, une* ou *des.*

Énumérer des choses

Cher Père Noël,

Tu seras gentil si tu m'apportes :

un (1) walkman et ...des..... (2) cassettes, ...une..... (3) mini-chaîne et ...des..... (4) disques aussi. Et puis, ...une..... (5) grosse voiture rouge téléguidée, ...un..... (6) bel appareil-photo avec ...un..... (7) album-photo, ...des.... (8) jeux vidéo, ...une..... (9) raquette de tennis et aussi ...des..... (10) balles. C'est tout ! Je t'embrasse.

Gaëtan

2 Complétez avec *le, la, l'* ou *les.*

Énumérer des choses

Tout est en ordre

Chez moi, tout est bien rangé : *les* (1) vêtements sont dans ....l'.. (2) armoire, ...l'..... (3) ordinateur sur .....le...... (4) bureau, ...les.... (5) couverts dans ......le.... (6) tiroir, ...les..... (7) assiettes dans .....le...... (8) placard, ...la..... (9) nourriture dans ....le... (10) réfrigérateur, ...les.... (11) livres dans ......la..... (12) bibliothèque, ...les.... (13) disques sur ....l'..... (14) étagère, et .....le....... (15) parapluie dans ....l'... (16) entrée.

3 Complétez avec *le, la, l', les, un, une* ou *des*.

Mme Legrand : Alors, mon chéri, tu as passé *une* (1) bonne journée ?

Hector : Pas vraiment. J'ai eu ..**des**...... (2) problèmes avec .....**le**...... (3) professeur de français.

Mme Legrand : ...**Des**...... (4) problèmes graves ?

Hector : En fait, j'ai eu ..**une**...... (5) très mauvaise note : 4 sur 20.

Mme Legrand : Oh la la, tu as raison, c'est très mauvais ! Et c'est ......**la**.... (6) dernière note avant ....**l'**...... (7) examen ?

Hector : Oui.

Mme Legrand : Eh bien, j'espère que tu auras ...**un**...... (8) meilleur résultat à .....**la**..... (9) fin de ....**l'** (10) année !

Hector : Mais tu sais, ...**les**... (11) autres élèves, ils ont eu ...**une**.... (12) note catastrophique aussi.

Mme Legrand : Vraiment ?

4 Soulignez la forme correcte.

Notre tour du monde

1. On a vécu **des**/de aventures extraordinaires.
2. On a d'/**des** histoires incroyables à te raconter.
3. On a traversé **des**/de régions magnifiques.
4. On a logé dans **des**/d' hôtels superbes.
5. On s'est arrêté dans **des**/de petites pensions.
6. On a rencontré **des**/de gens très sympathiques.
7. Mais on a vu aussi **d'**/des étranges personnes.

5 Complétez avec *des* ou *de*.

> Dire ce que l'on a fait

Retour de Turquie

Chère Caroline,

Comment s'est passé ton été ? Tu vas bien ? Est-ce que tu as eu *des* (1) nouvelles de Jacques ? Nous, nous sommes enchantés de nos vacances ! Nous avons passé ..**des**.. (2) belles journées en Cappadoce. Nous avons vu .**des**... (3) paysages magnifiques et rencontré .**des**... (4) gens très gentils. Nous avons dormi dans ...**de**... (5) vieux hôtels pleins de charme et nous avons apprécié la cuisine : ..**des**.. (6) plats souvent simples mais bons. Ensuite, nous avons passé une semaine au bord de la mer : ...**des**... (7) plages merveilleuses et ..**des**.. (8) promenades en bateau entre ...**de**... (9) très petites îles. Pour finir, nous sommes allés à Istanbul : c'est une merveille !

Mais nous te raconterons tous les détails chez mes parents le week-end du 25. En attendant, nous te faisons ...**de**... (10) grosses bises.

Armelle

6 Complétez avec *le, la, les, un, une, des* ou *de.*

La cliente : Bonjour madame, je cherche *des* (1) chaussures noires pour une cérémonie.

La vendeuse : Oui, vous avez vu quelque chose dans ….**la**.. (2) vitrine ?

La cliente : Vous avez …**un**.. (3) modèle qui me plaît beaucoup.

La vendeuse : Oui, vous pouvez me le montrer ?

La cliente : Oui, regardez, ..**les**.. (4) chaussures noires plates, au milieu.

La vendeuse : Bien sûr, vous faites quelle pointure ?

La cliente : Du 38 ou du 39, ça dépend.

La vendeuse : Voilà. …**le**… (5) style est élégant, vous ne trouvez pas ?

La cliente : Oui, tout à fait. Et elles me vont très bien. Elles font combien ?

La vendeuse : 95 euros, mais en ce moment, nous proposons …**une**.. (6) réduction de 15 %.
Et nous avons aussi ..**de**.... (7) très beaux collants, c'est …**la**.. (8) nouvelle collection d'hiver.
Ça vous intéresse ?

La cliente : Oui, volontiers, je cherche toujours ..**de**… (9) nouvelles idées de cadeaux. Je prends ces deux-là. Vous acceptez …**les**.. (10) cartes de crédit ?

La vendeuse : Oui, bien sûr Madame.

B L'ARTICLE CONTRACTÉ

EXEMPLES	
Il est parti	**au** bord de la mer, à la plage, à l'hôtel, **aux** Antilles.
C'est la porte d'entrée	**du** magasin, de la banque, de l'immeuble, **des** studios de cinéma.

7 Complétez avec *au, à la, à l'* ou *aux.*

Informer sur les personnes : habitudes

Un homme très occupé

1. Le lundi, je vais *au* concert.
2. Le mardi, je vais ..**à la** salle de gymnastique.
3. Le mercredi, je vais …**au**… cinéma.
4. Le jeudi, je vais ..**à l'**.. opéra.

5. Le vendredi, je vais ….._au_….. restaurant.

6. Le samedi, je vais .._aux_.. courses de chevaux.

7. Le dimanche, je vais ._à la_... piscine.

8. Et je vais tous les jours .._au_…. bureau, sauf le week-end !

8 Complétez avec *au*, *à la*, *à l'* ou *aux*.

1. Pense *aux* voisins !

2. Fais attention .._au_…. vieux monsieur !

3. Parle ….._au_... directeur !

4. Demande .._à l'_..agent de police !

5. Téléphone ._à l'_. infirmière !

6. Écris …_au_…. propriétaire !

7. Explique .._aux_.. étudiants !

8. Réponds ._à la_.madame !

9 Soulignez la forme correcte.

Parcours

1. Je vais **de la/du** gare à l'/**au** bureau à pied.

2. Ils sont allés **des/du** Champs-Élysées **aux/à la** maison en métro.

3. Comment êtes-vous allé **de l'/du** aéroport **à l'**/à le hôtel ?

4. On va aller **du/de le** théâtre **au**/à l' restaurant en taxi.

5. **De l'/De la** entrée principale **à l'**/à la accueil, c'est loin !

6. **Du/De l'** hôtel à la/**à l'** opéra, tu y vas à pied ?

7. Vous mettez longtemps **de l'/de la** université **au**/à l'appartement ?

8. On va facilement **de la/du** gare **au/aux** grands magasins en bus.

10 Complétez avec les articles contractés.

Repères

1. *Du* début *à la* fin.

2. _De la_ première page _à la_ dernière page.

3. _De l'_ introduction _à la_ conclusion.

4. _De la_ ligne 1 _à la_ ligne 20.

5. ..._Du_... paragraphe 3 ..._au_.... paragraphe 7.

6. ..._Du_... chiffre 0 .._à l'_.. infini.

7. _De la_ plus petite unité _à la_ plus grande.

8. ._Des_.. premiers chapitres .._aux_.. derniers chapitres.

C L'ARTICLE PARTITIF ET L'OMISSION DE L'ARTICLE

LES FORMES	EXEMPLES
L'article partitif : **du, de la, de l', des**	Il écoute **du** jazz et **de la** soul. Elle fait **de l'**aquarelle.
L'omission de l'article : **un peu de (d'), beaucoup de (d'), un cours de (d'), un bouquet de (d')**	Il écoute **un peu de** jazz et prend des **cours de** dessin. Je peins un **bouquet de** fleurs.

11 Complétez avec *du, de la* ou *de l'*.

Énumérer des choses

encre ~~farine~~ eau sel papier poivre inspiration
fromage colle photos

1. Pour faire une pizza, il faut *de la farine*, ...

   ....

2. Pour faire un livre, il faut ....

   ....

12 Transformez.

1. Dans ce cahier, il y a des exercices. C'est *un cahier d'exercices*.
2. Dans ce sac, il y a des pommes de terre. C'est ....
3. Dans ce verre, il y a du vin. C'est ....
4. Dans cette bouteille, il y a de l'eau. C'est ....
5. Dans cette boîte, il y a de l'aspirine. C'est ....
6. Dans ce livre, il y a des images. C'est ....
7. Dans ce paquet, il y a des mouchoirs. C'est ....

13 Complétez avec *de* ou *d'*.

La fille : J'ai complètement raté mon omelette !

La mère : Tu as mis beaucoup *d'* (1) œufs ?

La fille : Oui, dix pour quatre personnes.

La mère : C'est un peu trop, mais pourquoi pas ? Tu as ajouté trop .... (2) sel, peut-être ?

La fille : Non, en réalité, il n'y avait pas assez .... (3) sel.

La mère : Du poivre ?

La fille : Très peu .... (4) poivre. Je n'aime pas beaucoup ça.

La mère : Et un peu .... (5) eau ?

La fille : Non, j'ai mis un peu .... (6) lait et beaucoup .... (7) crème fraîche. C'est meilleur.

La mère : Alors, je ne comprends pas.

La fille : Cinq minutes au micro-ondes, et voilà !

La mère : Tu es folle ! On ne cuit pas une omelette au micro-ondes ! Tu devras passer encore beaucoup .... (8) heures dans la cuisine avant d'être une parfaite cuisinière !

14 Complétez avec *du, de la, des* ou *de*.

Patricia : Cet après-midi, on sort faire *des* (1) courses ?

Luc : Il y a .... (2) tennis à la télé, un match .... (3) tennis important, la finale dames.

Patricia : Oui, mais il y a aussi une émission .... (4) variétés, avec .... (5) artistes connus.

Luc : Écoute, ce genre .... (6) programme, on peut le voir toute l'année.

Patricia : Bon, regarde ton match. Moi, je vais écouter .... (7) musique.

15 Complétez avec *de la, de l', des, de* ou *d'*.

Sur l'autoroute

Cédric : On n'avance pas !

Louise : Il y a un accident. La radio annonce dix kilomètres *de* (1) bouchons.

Cédric : Bon, je m'arrête à la prochaine station-service. Je vais prendre .... (2) essence et acheter .... (3) jus de fruits, ... (4) gâteaux et quelques barres .... (5) céréales.

Louise : On n'a plus beaucoup .... (6) eau, prends-en une grande bouteille.

Cédric : D'accord. Oh, regarde, il y a cent mètres .... (7) queue devant la pompe à essence !

Louise : Eh bien, on n'est pas arrivés ! Il va falloir .... (8) patience !

D LA FORME NÉGATIVE

LES ARTICLES DÉFINIS	Je **ne** regarde **pas les** nouvelles à la télévision parce que je **n'**aime **pas les** présentateurs.
LES ARTICLES INDÉFINIS	Je **n'**achète **plus de** cassettes, je préfère les C.D.
LES ARTICLES PARTITIFS	Je **ne** bois **pas de** lait, je n'aime pas ça.

Attention ! Avec les expressions ***c'est***, ***ce sont***, la forme négative est : ***ce n'est pas du*** *bon travail,* ***ce ne sont pas des*** *idées intéressantes.*

16 Complétez comme dans l'exemple.

Au régime !

Le médecin : Vous devez faire un régime.

1. **(boire du coca)** *Vous ne devez pas boire de coca*, c'est un excitant.
2. **(mettre du sel)** .... dans la soupe, c'est mauvais pour vous.
3. **(ajouter du sucre)** .... dans vos yaourts, c'est inutile.
4. **(consommer de la crème fraîche)** ...., c'est très gras.
5. **(prendre du café)** ...., c'est aussi un excitant.
6. **(manger de l'omelette)** ...., c'est plein de cholestérol.
7. **(manger des pâtes)** ...., ça fait grossir.

Le patient : Mais qu'est-ce que je peux manger alors ?

17 Complétez avec *pas le*, *pas la*, *pas des*, *pas de* ou *pas une*.

1. – Allô ? Je suis bien au 01 40 45 72 02 ?

   – Ah, non, ce n'est *pas le* bon numéro.

   – Oh, excusez-moi.

2. – On va en discothèque, ce soir ?

   – Non, ce n'est *pas une* bonne idée. On doit se lever tôt demain.

3. – Ne prends *pas de* café noir, tu vas être très énervé.

   – Mais, je n'aime *pas le* lait !

4. – Je ne vois *pas la* boîte à sucre, tu sais où elle est ?

   – Regarde dans le placard de droite !

   – Il n'y a *pas de* boîtes du tout !

5. – Vous avez des caramels, s'il vous plaît ?

   – Devant vous, là, ce ne sont *pas des* caramels ?

   – Non, ce sont des chocolats.

   – Alors, je regrette, nous n'avons *pas de* caramels !

BILAN

1 Complétez avec l'article correct.

Carole : Tu connais *Les enfants du paradis* ?

Marie : Non, qu'est-ce que c'est ?

Carole : C'est ..un.. (1) très beau film, avec ..des. (2) acteurs fabuleux. Il y a .des.(3) scènes magnifiques parce que les acteurs expriment beaucoup ....d'. (4) émotion en peu ..de. (5) mots. C'est ..une. (6) très belle histoire ....d'. (7) amour. J'aime ..les. (8) films comme ça : ils sont inoubliables !

Marie : Oui, .les. (9) beaux films sont assez rares. Écoute, ne me raconte pas ..le... (10) film, je vais aller .au... (11) cinéma.

Carole : ..Le. (12) problème est que c'est ..un.. (13) très vieux film en noir et blanc. Mais j'ai ..la. (14) vidéo chez moi. Je te la prête, si tu veux.

Marie : Eh bien, d'accord.

2 Complétez avec l'article correct.

Claude : Tu viens avec moi ..au... (1) théâtre ?

Peter : Voir quoi ?

Claude : .La. (2) dernière pièce d'Olivier Py. Ce n'est pas ..un. (3) chef-d'œuvre, mais .les. (4) acteurs sont excellents.

Peter : Tu n'as pas ..d'... (5) autre idée ? Je n'aime pas beaucoup ...le. (6) théâtre moderne. Et puis, mon français n'est pas assez bon.

Claude : Et .....l'. (7) art contemporain ?

Peter : Je ne vais pas souvent ..au.. (8) musée. Je n'ai pas vu beaucoup .une. (9) expositions dans ma vie. Mais j'adore ..les. (10) impressionnistes. Un jour, je suis allé à .une. (11) exposition à Londres et j'ai beaucoup aimé, ...du. (12) premier ..au.. (13) dernier tableau !

Claude : Eh bien, allons ..un. (14) musée d'Orsay. Il y a une quantité incroyable .... (15) peintures impressionnistes. Ça va te plaire. Il y a .des.(16) tableaux uniques !

3 Complétez avec l'article correct.

Quel est votre signe astrologique ?

1. Les Béliers ont ..de..l´. énergie.
2. Les Taureaux aiment ......la. calme.
3. Les Gémeaux ont beaucoup ....d´. idées originales.
4. Les Cancers sont vraiment ..de.... très bons amis.
5. Les Lions ont .... volonté.
6. Les Vierges cachent ..une... grande sensibilité.
7. Les Balances ont ...du.... charme, beaucoup ..du..... charme.
8. Les Scorpions s'intéressent ....aux mystères.
9. Les Sagittaires ont plein ....d´. optimisme.
10. Les Capricornes adorent ......la. stabilité.
11. Les Verseaux font toujours .... nouveaux projets.
12. Les Poissons aiment beaucoup ....l´. inconnu.

4 Complétez avec l'article correct.

– Je cherche .... (1) studio depuis .... (2) mois dernier et je ne trouve rien !

– Tu as regardé .... (3) petites annonces dans .... (4) journal ?

– Oui, mais je n'ai pas trouvé .... (5) studio. Il n'y a que .... (6) maisons ou .... (7) grands appartements !

– Tu peux aller dans .... (8) agence immobilière ou encore demander .... (9) concierge de mon immeuble. Je crois qu'il y a .... (10) studio à louer .... (11) dernier étage.

– Je voudrais changer de quartier ! Je cherche .... (12) quartier plus calme, mais près .... (13) centre-ville quand même.

– Cherche sur Internet !

8

L'ADJECTIF QUALIFICATIF ET L'ADVERBE EN *-MENT*

➤ Informer sur les choses, les lieux ➤ Caractériser une personne
➤ Énumérer des choses

A L'ADJECTIF : LE MASCULIN ET LE FÉMININ, LE SINGULIER ET LE PLURIEL

	FORMATION DU FÉMININ	FORMATION DU PLURIEL
Cas général	masculin **+ e** : haut / haut**e**	singulier **+ s** : simple / simple**s**
Autres cas	• masculin = féminin : rouge / rouge • la consonne finale double : italien / italie**nne** • la syllabe finale change : vi**f** / vi**ve**, premi**er** / premi**ère**, fam**eux**/fam**euse** • la forme est différente : **fou / folle, beau / belle, grec / grecque**	• même forme pour les adjectifs en **-s** ou **-x** : frais / frais, peureu**x** / peureu**x** • adjectifs en **-al** → **-aux** : municip**al** / municip**aux** • adjectifs en **-eau** → **-eaux** : b**eau** / b**eaux**

Attention ! Certains adjectifs sont utilisés comme **adverbes** ; dans ce cas, ils sont **invariables** : *bas, bon, cher, droit, dur, faux, fort. Cette voiture coûte cher.*

1 Accordez les adjectifs.

Informer sur les choses

1. La cuisine *indienne* (**indien**) utilise beaucoup de curry.
2. Tu préfères la bière .... (**anglais**) ou la bière .... (**allemand**) ?
3. La pizza est une spécialité .... (**italien**) connue.
4. L'ouzo est une boisson .... (**grec**) qui se boit avec de l'eau.
5. Le poisson cru est une spécialité .... (**japonais**).
6. Les vins .... (**français**) sont célèbres dans le monde entier.

2 Complétez avec l'adjectif correct et accordez si nécessaire.

Caractériser une personne

Robert et Céline

bleu ~~brun~~ carré gros joli

Céline a les cheveux *bruns* (1) et de .... (2) yeux ; des yeux .... (3) comme sa mère. Mais elle a un visage .... (4) et un .... (5) nez comme son père.

beau blond rond clair sympathique

Son frère, Robert, est un garçon .... (6). Il porte une .... (7) moustache et a une tête toute .... (8). Ses yeux .... (9) et ses cheveux .... (10) me rappellent son grand-père.

3 **Transformez l'annonce.**

Caractériser une personne

Jeune femme, 28 ans, grande (1), brune (2), active (3), sérieuse (4), cultivée (5) mais aussi douce (6), émotive (7), cherche le bonheur avec jeune homme, 28/34 ans, roux (8), sportif (9), dynamique (10), charmeur (11), ambitieux (12), mais aussi gentil (13), sensible (14) et travailleur (15).

Jeune homme, 28 ans, **grand** (1), ... (2), ... (3), ... (4), ... (5) mais aussi .... (6), ... (7), cherche le bonheur avec jeune femme, 28 / 34 ans, ... (8), ... (9), ... (10), ... (11), ... (12), mais aussi .... (13), ... (14), et .... (15).

4 **Accordez les adjectifs.**

Informer sur les choses

La presse écrite

1. Chaque année, de *nouveaux* **(nouveau)** magazines sont lancés, certains sont très .... **(beau)** et très .... **(original)**.
2. Les journaux .... **(régional)** sont très populaires en France.
3. Les publications .... **(municipal)** sont gratuites.
4. Cette journaliste écrit des articles sur les événements .... **(international)** et sur les problèmes .... **(social)**.
5. *Libération*, *Le Monde* et *Le Figaro* sont des quotidiens .... **(national)**.
6. Les événements .... **(heureux)**, mariages et naissances, sont annoncés dans le carnet mondain.

5 **Complétez avec l'adjectif ou l'adverbe.**

1. Ils chantent *faux*, j'en ai mal aux oreilles. Tu fais beaucoup de *fausses* notes **(faux)**.
2. Elle a travaillé .... pour obtenir son diplôme ; ces examens sont très .... **(dur)**.
3. Baisse le volume, la musique est trop .... Ne l'écoute pas si .... **(fort)** !
4. Cette crème est vraiment .... et elle sent .... **(bon)**.

L'adjectif qualificatif et l'adverbe en *-ment*

5. Cette chaise coûte .... ; tous les articles de ce magasin sont .... (**cher**).

6. Parlez plus ...., parlez à voix .... (**bas**).

7. Il habite très ...., au 18ᵉ étage, la tour est .... (**haut**).

B **LA PLACE DE L'ADJECTIF**

Règle générale : l'adjectif se place après le nom.	Un homme **intelligent**.
Certains adjectifs se placent avant : *petit, grand, beau, bon, jeune, vieux, gros, joli, mauvais, meilleur, long, nouveau.*	Un **grand** magasin.
Les nombres se placent toujours avant. *Premier, deuxième...* **aussi.**	Les **trois** jolies filles. Le **dernier** métro, le **troisième** étage.
Parfois, l'adjectif se place avant ou après, indifféremment.	Cette région **magnifique**. Cette **magnifique** région.

Attention ! *Beau*, *nouveau*, *vieux* deviennent *bel*, *nouvel*, *vieil* devant un nom masculin qui commence par une voyelle ou un *h* muet : *Un vieux bâtiment, un vieil immeuble.*

---

6 **Placez correctement les adjectifs.**

Énumérer des choses

À la fête foraine !

1. Le *grand* huit (**grand**).

2. Les .... montagnes .... (**russes**).

3. Le .... château .... (**hanté**).

4. La .... roue .... (**grande**).

5. La .... forêt .... (**enchantée**).

6. La .... rivière .... (**sauvage**).

7. Le .... train .... (**petit**).

---

7 **Placez correctement les adjectifs et accordez.**

– Excusez-moi, Monsieur, vous n'avez pas vu une *petite* fille *blonde* (1) (**petit – blond**) avec un .... manteau .... (2) (**rouge**) ?

– Si, regardez, là, à côté de la .... porte .... (3) (**grand – gris**) !

– Tu te souviens de ton .... bal .... (4) **(premier)**, grand-mère ?

– Oui, ce soir-là, je portais une .... robe .... (5) **(rose)** et surtout,
j'étais accompagnée d'un .... homme .... (6) **(beau)** : ton grand-père.

– Madame, s'il vous plaît, vous avez le .... album .... (7) **(nouveau)**
de Patricia Kaas ?

– Oui, regardez entre les .... meubles ....
.... (8) **(deux – blanc)**, toutes nos nouveautés sont là.

8 Mettez dans l'ordre.

Informer
sur les lieux

1. j' / un / lumineux / grand / habite / dans / appartement
   J'habite dans un grand appartement lumineux.

2. quatrième / se / au / il / étage / trouve
   ....

3. porte / la / à / dernière / droite / c'est
   ....

4. cuisine / une / il y a / fonctionnelle / petite
   ....

5. très / un / salon / il y a / grand
   ....

6. possède / chambres / il / jolies / trois
   ....

7. un / idéal / c'est / appartement / famille / grande / ma / pour
   ....

C L'ADVERBE EN *-MENT*

Cas général	adjectif au féminin **+ -ment**	légère → légère**ment**
Autre cas	adjectifs qui se terminent par **-ant**, **-ent** forment l'adverbe en **-amment, -emment**.	méchant → méch**amment**, différent → différ**emment**.

D'autres exemples : *profonde → profondément, gentille → gentiment, brève → brièvement,
polie → poliment.*

L'adjectif qualificatif et l'adverbe en *-ment*

9 Remplacez l'expression soulignée par un adverbe.

Façons de parler

1. Il lui a parlé <u>de façon brutale</u> / *brutalement.*
2. Elle m'a répondu <u>de manière très agressive</u> / ....
3. Elle ne parle jamais <u>de façon naturelle</u> / ....
4. Il explique tout <u>de manière claire</u> / ....
5. Il parle <u>de façon distincte</u> / ....
6. Il répond toujours <u>de façon sincère</u> / ....
7. Il s'est adressé à nous <u>de manière simple</u> / ....
8. Elle m'a répondu <u>de façon sèche</u> / ....

10 Trouvez les adverbes.

1. régulier : *régulièrement*		7. naïf : ....
2. long :		8. affectueux : ....
3. mou :		9. doux : ....
4. léger :		10. premier : ....
5. passif :		11. frais : ....
6. fou :		12. fier : ....

11 Complétez le tableau.

	ADJECTIF	ADVERBE
1.	patient	*patiemment*
2.	....	prudemment
3.	intelligent	....
4.	....	violemment
5.	bruyant	....
6.	....	brillamment
7.	fréquent	....
8.	....	récemment

12 Complétez avec l'adverbe.

Caractériser une personne

1.   Ce pilote est prudent ; il conduit **prudemment.**

2.   Ce garçon est très naïf ; il agit toujours ....

3.   Ces enfants sont vraiment bruyants ; ils jouent ....

4.   Il est complètement fou ; il agit ....

5.   Cette institutrice est patiente ; elle répond .... aux enfants.

6.   Cette jeune fille est amoureuse ; elle regarde .... son fiancé.

7.   Ces élèves sont lents ; ils travaillent ....

BILAN

1 Complétez avec les adjectifs.

La critique a aimé

(1) premier   (2) vrai   (3) bon   (4) amusant   (5) beau   (6) soutenu   (7) exceptionnel   (8) français

Le .... film .... (1) de Jean-Paul Baron est une .... (2)

réussite .... Un .... scénario .... (3), des

.... dialogues .... (4), une .... musique .... (5),

un .... rythme .... (6), des .... acteurs .... (7) :

le .... cinéma .... (8) comme on l'aime !

La critique a détesté

(9) étranger   (10) religieux   (11) vert   (12) rond   (13) cassé

(14) septième   (15) dernier   (16) jeune

Un film qui montre un .... étudiant .... (9) dans une ....

institution .... (10) en train de peindre une .... pomme

.... (11) posée sur une .... assiette .... (12) devant

un .... verre .... (13), appartient-il vraiment au .... art

.... (14) ? C'est la question que pose le .... film .... (15)

du .... réalisateur .... (16) Antoine Richard.

L'adjectif qualificatif et l'adverbe en *-ment* — Bilan

2 **Complétez avec les adjectifs.**
(Deux adjectifs peuvent être reliés par *et*.)

Début d'un conte de fée

1. Il était une fois .... princesses .... (**beau – trois – blond**).

2. Elles aimaient .... garçons .... (**trois – jeune – sympathique**).

3. La première avait .... sœurs .... (**très jaloux – deux**).

4. La deuxième avait une .... belle-mère .... (**autoritaire – fou**).

5. La troisième avait une .... tante .... (**très gentil – vieux**).

Chacune des trois possédait des animaux de compagnie :

6. Amélie possédait .... oiseaux .... (**joli – dix – multicolore**).

7. Belise possédait .... chatons .... (**très mignon – quatre – petit**).

8. Chloé possédait .... chevaux .... (**grand – blanc – deux**).

9. Elles habitaient dans un .... château .... (**féérique**) et

   menaient une .... vie .... (**heureux**) jusqu'au jour où...

3 **Complétez avec les adjectifs ou les adverbes.**

Notre week-end à Londres

sympathique   animé   ravi   superbe   original   seulement   gentiment   prochainement
tranquillement   facilement

– Alors, ce week-end ?

– Oh ! Nous avons passé deux jours à Londres et il a fait un temps .... (1) !

– Raconte !

– D'abord, nous avons trouvé l'hôtel .... (2), juste à côté de la gare Victoria.

La réceptionniste était très .... (3), elle nous a .... (4) aidés à

organiser un circuit.

– Qu'est-ce que vous avez vu ?

– On a visité .... (5) le centre. On est allés à Trafalgar Square et dans les rues

.... (6) de Picadilly. Le dimanche, on a vu la relève de la garde au palais de

Buckingham, les enfants étaient .... (7) ! Et puis, l'après-midi, on s'est promenés

.... (8) à Hyde Park pour se reposer.

– J'adore cette ville, on y rencontre plein de gens .... (9).

– On pense y retourner .... (10), viens avec nous !

– Pourquoi pas ?

LES ADJECTIFS ET LES PRONOMS DÉMONSTRATIFS ET POSSESSIFS

➤ Caractériser une chose, un lieu ➤ Informer sur les personnes ➤ Indiquer des préférences ➤ Indiquer l'appartenance ➤ Comparer des personnes, des choses

A LES ADJECTIFS POSSESSIFS ET DÉMONSTRATIFS

	ADJECTIFS POSSESSIFS
masculin singulier	C'est **mon, ton, son, notre, votre, leur** livre.
féminin singulier	C'est **mon, ton, son, notre, votre, leur** écharpe. C'est **ma, ta, sa, notre, votre, leur** veste.
masculin et féminin pluriel	Ce sont **mes, tes, ses, nos, vos, leurs** gants.

1 Soulignez les deux adjectifs possessifs corrects.

1. **Ma/Votre/Mes** sœur
2. **Leur/Ta/Mon** frère
3. **Son/Leurs/Ses** grands-parents
4. **Notre/Nos/Ma** tante
5. **Mes/Leur/Ses** cousins
6. **Vos/Ma/Leurs** cousines
7. **Ton/Sa/Votre** neveu
8. **Mon/Ta/Leur** nièce

2 Complétez avec des adjectifs possessifs.

Madame,

Vos (1) deux enfants sont dans .notre. (2) école depuis longtemps déjà. Nous avons remarqué que depuis un mois, votre (3) fils et votre. (4) fille sont en retard aux cours tous les lundis matins et que .leurs. (5) notes sont beaucoup moins bonnes. Vous savez que .leur. (6) présence en classe est obligatoire.

Comme je suis le directeur, ..ma. (7) responsabilité est de vous prévenir et je souhaiterais vous recevoir dans ..mon. (8) bureau le plus rapidement possible.

Avec .mes. (9) meilleures salutations.

Monsieur Lebrun

Les adjectifs et les pronoms démonstratifs et possessifs

	ADJECTIFS DEMONSTRATIFS
masculin singulier	Donnez-moi **ce** livre et **cet** album, s'il vous plaît.
féminin singulier	Combien coûte **cette** veste ?
masculin et féminin pluriel	Je voudrais **ces** gants, s'il vous plaît.

Attention ! L'adjectif démonstratif peut s'utiliser avec **-ci** ou **-là** : *Ouvre **ce** livre**-ci**, pas **ce** livre**-là** !*

3 **Complétez avec *ce, cet, cette*, ou *ces*.**

1. *Cette* année-là
2. Ces jours-ci
3. Ce moment-là
4. Cette heure-ci
5. Cet horaire-là

6. Ce soir-là
7. Ces dimanches-là
8. Cette après-midi-là
9. Ce matin-là
10. Cet instant-là

4 **Complétez avec des adjectifs démonstratifs et possessifs.**

Indiquer l'appartenance

C'est à qui ?

1. – *Ce* porte-monnaie est à Claire ? – Oui, c'est **son** porte-monnaie !
2. – Ces livres sont aux enfants ? – Oui, ce sont leurs livres !
3. – Cet agenda est à moi ? – Oui, c'est ton agenda !
4. – Ces lunettes sont à Loïc ? – Oui, ce sont ses lunettes !
5. – Cette montre est à Eric ? – Oui, c'est sa montre !
6. – Ces clés sont aux secrétaires ? – Oui, ce sont leurs clés !
7. – Cette écharpe est à toi ? – Oui, c'est mon écharpe !
8. – Ce parapluie est à vous, Chantal ? – Oui, c'est mon parapluie !

5 **Complétez avec des adjectifs démonstratifs et possessifs.**

1. – J'aime bien *cet* écrivain, j'ai lu *son* dernier roman, c'était super !
2. – Tu connais cette actrice ? Je trouve que ses films sont excellents.
3. – Je regarde toujours ces joueurs de tennis, leur jeu est très intéressant.
4. – J'aime cette artiste-peintre, ses tableaux sont connus maintenant.
5. – J'écoute très souvent ce chanteur, j'ai acheté toutes ses cassettes.
6. – Tu as déjà vu ces danseurs ? Je cherche une vidéo de leurs ballets.
7. – Je connais très bien cette photographe, elle fait sa prochaine exposition ici.

Les adjectifs et les pronoms démonstratifs et possessifs

B LES PRONOMS DÉMONSTRATIFS

UTILISATION	EXEMPLES
Celui, celle, ceux, celles + une précision.	– Quel vélo veux-tu ? – **Celui qui** est dans la vitrine, **celui de** droite.
Celui-ci, celui-là, celle-ci, celle-là, ceux-ci, ceux-là, celles-ci, celles-là s'utilisent seuls.	– Quelle poupée est-ce que tu préfères ? – **Celle-ci** ! C'est la plus jolie.

Attention ! Quand ils sont opposés, *celui-ci* désigne l'élément le plus proche et *celui-là* l'élément le plus éloigné.

6 Associez.

Informer sur les personnes

Qui sont-ils ?... Devinez !

1. Ceux qui travaillent avec moi ?
2. Ceux que je dirige ?
3. Celui qui conduit ma Rolls Royce ?
4. Celui qui finance mes projets ?
5. Ceux que j'invite souvent chez moi ?
6. Celle qui ouvre mon courrier ?
7. Celui qui s'occupe de mon parc ?

a. Mon chauffeur
b. Mes amis
c. Mes collaborateurs
d. Mon jardinier
e. Mes nombreux employés
f. Mon banquier
g. Ma secrétaire

1.	2.	3.	4.	5.	6.	7.
c	e	a	f	b	g	d

7 Soulignez le pronom démonstratif correct.

Indiquer des préférences

Comment tu t'habilles ?

1. – Tu aimes les pulls en coton, toi?   – Non, je préfère **ceux**/**celles** en laine !
2. – Tu mets des chaussures en toile, toi ?   – Non, je préfère **celles**/**celui** en cuir !
3. – Tu as des bracelets en plastique, toi ?   – Non, j'aime mieux **celles**/**ceux** en or !
4. – Tu prends ce foulard en nylon ?   – Non, j'aime mieux **celles**/**celui** en soie !
5. – Tu veux la chemise à fleurs ?   – Non, je préfère **celui**/**celle** à rayures !
6. – On prend la cravate unie ?   – Non, j'aime mieux **ceux**/**celle** à pois !

Les adjectifs et les pronoms démonstratifs et possessifs

8 Complétez avec *celui, celle, ceux* ou *celles*.

Comparer des personnes, des choses

Pauvre Raoul !

1. Les vêtements de Luc sont bien plus élégants que **ceux** de Raoul !
2. Les idées de Luc sont beaucoup plus originales que ..celles.. de Raoul !
3. La conversation de Luc est plus intéressante que ..celle.... de Raoul !
4. Le style de Luc me plaît mieux que ..celui..... de Raoul !
5. Les collègues de Luc sont sympathiques, beaucoup plus que ceux... de Raoul !
6. Le travail de Luc est sérieux, plus que celui... de Raoul !
7. La personnalité de Luc m'intéresse vraiment plus que ...celle... de Raoul !

9 Complétez avec *celui, celle, celles* ou *ceux*.

Caractériser une chose

Quel gourmand !

1. – Tu veux quel gâteau ? – *Celui* avec beaucoup de crème !
2. – Tu aimes les tartes ? – Oui, surtout ..celles.. au citron !
3. – Tu aimes les bonbons ? – Oui, et particulièrement ..ceux... à la framboise.
4. – Tu veux du gâteau ? – Oui, si c'est ..celui... de maman !
5. – Tu aimes les chocolats ? – Oui, surtout ..ceux... à la liqueur !
6. – Tu veux de la confiture ? – Oui, ..celle.. de grand-mère !

10 Complétez avec *celui, celle* ou *ceux*.

Caractériser une chose, un lieu

Les records

1. – Dis-moi, à ton avis, quel est le monument le plus visité à Paris ?
   – *Celui* qui est le plus visité, je ne sais pas, je dirais Notre-Dame ou la tour Eiffel.
2. – Et la langue la plus parlée dans le monde ?
   – À mon avis, ..celle.. qui est la plus parlée, c'est le chinois, non ?
3. – Les vêtements les plus portés ?
   – Je ne sais pas ..ceux... qui sont les plus portés, aujourd'hui, les jeans probablement.
4. – La boisson la plus connue ?
   – ...celle.. qui est la plus connue, c'est difficile à dire mais ..celle.... qu'on consomme le plus, c'est peut-être l'eau !
5. – Le site Internet le plus consulté ?
   – ..celui.. qui est le plus consulté ? Je n'en ai aucune idée. Et toi, tu sais ?

Les adjectifs et les pronoms démonstratifs et possessifs

11 Complétez avec *celui-ci, celui-là, celles-ci, celles-là.*

Vous avez le choix

1. Voici nos deux derniers modèles de caméscope : avec *celui-ci*, vous avez une meilleure image et avec *celui-là*, un meilleur zoom.

2. Voilà, j'ai ce parfum en deux présentations : ..*celui-ci*..., en flacon, et ..*celui-là*..., plus pratique, en vaporisateur.

3. Ce T-shirt existe en deux modèles : ..*celui-ci*..., à manches courtes et ..*celui-là*..., sans manches.

4. Des chaussures de marche ? Vous avez ..*celles-ci*..., qui sont en promotion, et *celles-là*., plus chères mais plus solides.

C LES PRONOMS POSSESSIFS

APPARTENANCE	PRONOMS POSSESSIFS
à moi	**le mien, la mienne, les miens, les miennes**
à toi	**le tien, la tienne, les tiens, les tiennes**
à lui, à elle	**le sien, la sienne, les siens, les siennes**
à nous	**le nôtre, la nôtre, les nôtres**
à vous	**le vôtre, la vôtre, les vôtres**
à eux, à elles	**le leur, la leur, les leurs**

12 Associez.

Indiquer l'appartenance

1. C'est ma veste.
2. Ce sont tes lunettes.
3. C'est notre parapluie.
4. Ce sont ses clés.
5. C'est la caméra de Paul et Julie.
6. C'est mon manteau.
7. Ce sont les gants de Paul.
8. C'est votre casquette.

a. C'est le mien.
b. C'est la leur.
c. Ce sont les siens.
d. C'est le nôtre.
e. Ce sont les tiennes.
f. C'est la vôtre.
g. Ce sont les siennes.
h. C'est la mienne.

1.	2.	3.	4.	5.	6.	7.	8.
h	e	d	g	b	a	c	f

Les adjectifs et les pronoms démonstratifs et possessifs

13 Complétez avec *le mien, la mienne, les miens* ou *les miennes.*

Jalousies d'enfants

1. – Mon ordinateur est rapide.   – *Le mien* est plus rapide !
2. – Mon vélo a dix vitesses.   – ...Le mien........ a dix-huit vitesses !
3. – Mes rollers sont très chers.   – ..Les miens........ coûtent une fortune !
4. – Mes parents ont beaucoup d'argent.   – ...Les miens...... sont milliardaires !
5. – Ma maison est très grande.   – ..La mienne.... ressemble à un palais !
6. – Ma mère me donne des cadeaux.   – ..La mienne. me donne sa carte de crédit !
7. – Mes cousines voyagent beaucoup.   – ..Les miennes ont fait dix fois le tour du monde !
8. – Ma sœur est championne de France.   – ..La miennes. est championne du monde !

14 Mettez dans l'ordre.

Au club de vacances

1. – J'ai acheté mes cartes postales.
   – tu / tiennes / aussi / acheté / les / as / ?
   Tu as acheté les tiennes aussi ?

2. – Nous avons laissé notre passeport à l'hôtel.
   – le / gardé / vous / vôtre / avez / ?
   Vous avez gardé le vôtre?

3. – Nos amis viennent d'arriver.
   – pas / les / viennent / vôtres / ne / ?
   Les vôtres ne viennent pas?

4. – Ma fenêtre n'est pas fermée.
   – la / tu / tienne / ne / laisses / ouverte / pas / ?
   Tu ne laisses pas la tienne ouverte?

5. – Notre chambre donne sur la mer.
   – vue / la / belle / vôtre / une / a / aussi / ?
   La vôtre a une belle vue aussi?

6. – Mon moniteur de voile est super.
   – le / sympathique / a / l'air / tien / très
   Le tien a l'air très sympathique

7. – Notre poisson était délicieux, hier soir.
   – comment / était / vôtre / le / ?
   Le vôtre était comment?

8. – Ma mère m'a téléphoné.
   – de / tienne / as / la / nouvelles / tu / des / ?
   Tu as des nouvelles de la tienne?

Les adjectifs et les pronoms démonstratifs et possessifs

15 Complétez avec un pronom possessif.

Tu me prêtes ou tu me donnes ?

1. – Je ne trouve pas mon stylo, vous pouvez me passer **le vôtre** ?
2. – Si sa voiture ne marche pas, je lui prête ...la mienne... sans problème.
3. – Notre caméscope est en panne ; nos amis vont nous apporter ......le leur............ .
4. – J'ai perdu mon parapluie, tu me prêtes le tien............... ?
5. – Je peux travailler sur ton ordinateur ? ......Le mien............... a un problème.
6. – Nous avons la voiture de mes parents, ...la nôtre......... est en panne.
7. – Je n'ai pas eu d'invitation, mais Brigitte me donne ...la sienne............ .

BILAN

1 Complétez avec des adjectifs et des pronoms démonstratifs.

Chez un grand bijoutier

– Voyons, je vous propose ......ce......... (1) collier avec des diamants et des émeraudes
et peut-être, avec le collier, ...ce........... (2) bracelet.

– J'hésite ! C'est difficile de choisir. Pourriez-vous me montrer aussi la bague, vous savez,
...celle...... (3) qui est dans la vitrine ?

– Mais naturellement. Regardez, ...ces......... (4) pierres sont merveilleuses ! Et admirez
....cet......... (5) ensemble, Monsieur le Comte ! Ce............ (6) collier, ...cette..... (7)
bague et ......ce......... (8) bracelet, quelle beauté, quel style !

2 Complétez avec des pronoms et des adjectifs, démonstratifs et possessifs.

C'est à toi, Charles, ou c'est à Martin ?

Maman : À qui sont ......ces............ (1) chaussettes ? Charles, ce sont ...les tiennes... (2) ?

Charles : Non, ce ne sont pas le miennes... (3), ce sont ......celles......... (4) de Martin.

Maman : Et ....cette......... (5) serviette ?

Charles : .....Cette......... (6) horreur !!! C'est ......celle......... (7) de Martin !!!

Maman : Et ....ce........... (8) T-shirt, c'est ..le....tien....... (9) ou c'est ...celui............. (10)
de ton frère ?

Charles : C'est ....le mien...... (11). C'est toi qui me l'as acheté !

Maman : Mais qu'est-ce que vous faites avec ......vos............. (12) vêtements ? Regardez comme
ils sont sales ! Ce n'est pas possible !

Les adjectifs et les pronoms démonstratifs et possessifs — Bilan

3 Complétez avec des pronoms et adjectifs, démonstratifs et possessifs.

À l'aéroport

– Monsieur, ouvrez ......*cette*.......... (1) valise, s'il vous plaît.

– Mais ce n'est pas ...*la mienne*.... (2) !

– Où est ...*la vôtre*..... (3) ?

– Je n'ai pas de valise ! J'ai seulement un sac. C'est ...*celui*......... (4) qui a beaucoup d'étiquettes.

– À qui est ......*cette*.......... (5) valise, alors ? Madame, c'est ...*la vôtre*.... (6) ?

– Oui, Monsieur, pourquoi ?

– Vous savez que vous devez garder .....*vos*............. (7) bagages avec vous, sinon nous sommes obligés de les détruire !

4 Complétez avec des pronoms et adjectifs, démonstratifs et possessifs.

Au magasin de sport

– Maman, regarde ....*ces*.......... (1) tennis ! Je les trouve super ! Tu m'en achètes une paire ? *Les miennes*. (2) sont déjà très vieilles !

– Lesquelles tu veux ?

– .....*Celles-ci*...... (3), à droite ! Tu vois ?

– Ah oui, ...*Celles*.......... (4) qui sont rouges.

– Oui, c'est ça.

– Mais elles sont comme ......*celles*........ (5) de ton frère.

– Ah non, *les siennes*. (6) sont moins jolies !

– Tu ne préfères pas ....*ce*............ (7) modèle ou encore ....*cette*........ (8) marque ?

– Non, ce sont .....*ces*............. (9) chaussures que je veux ! ..*celles-ci*..... (10) et pas d'autres !

LE COMPARATIF
ET LE SUPERLATIF

➤ Comparer des personnes, des choses ➤ Caractériser une personne

A LE COMPARATIF

Avec un adjectif	Isabelle est	**plus**	belle	**que** Brigitte.
Avec un adverbe	Isabelle danse	**aussi**	gracieusement	**que** Brigitte.
Avec un nom	Isabelle a	**autant de**	talent	**que** Brigitte.
Avec un verbe	Isabelle s'entraîne	**moins**		**que** Brigitte.

Attention ! *C'est une **bonne** danseuse, mais l'autre est **meilleure** ! Elle danse **bien**, mais l'autre danse **mieux** !*
*Pour indiquer la similitude, on peut utiliser : **le même**, **la même** ou **les mêmes**.*
*Elle ne danse pas **les mêmes ballets que** Brigitte.*

1 **Associez. (Il peut y avoir deux réponses possibles.)**

1. La vie est plus calme.

2. On est aussi heureux.

3. On visite plus de musées.   a. en ville

4. On fait autant d'activités.

5. On prend moins de transports en commun.

6. On entend plus de bruit.

7. L'air est meilleur.   b. à la campagne

8. On est moins tranquille.

9. On voit autant ses amis.

10. On dort mieux.

1.	2.	3.	4.	5.	6.	7.	8.	9.	10.
b	*a, b*	*a*	*a, b*	*b*	*a*	*b*	*a*	*a, b*	*b*

2 **Complétez avec *plus, aussi, moins* et *que* ou *qu'*.**

> Comparer
> des personnes

Autrefois

Grand-mère : Les jeunes étaient (+) ***plus*** romantiques *que* (1) maintenant.

Clara : Oh ! Mamie, ils sont (=) ......*aussi*........ sensibles ......*que*......... (2) avant !

Grand-mère : Oh non ! Et puis, ils étaient (+) ....plus.......... courageux ....qu'.......... (3) aujourd'hui.

Clara : Tu crois qu'ils sont (–) ...moins....... travailleurs ....que........ (4) de ton temps ?

Grand-mère : Oui. Mais votre époque est (+) ....plus.......... difficile ...que............ (5) la mienne.

Clara : Tu sais, nous sommes peut-être (+) .....plus........ (6) individualistes mais nous sommes (–) ....moins....... (7) timides et (+) .....plus........ mûrs ....que.......... (8) vous n'étiez, tu es d'accord ?

Grand-mère : Je ne réponds pas !

---

3 **Complétez les phrases.**

Comparer des choses

1. L'avion est *plus rapide que* le bateau (**rapide**) (+).

2. Les voyages en bateau prennent ..plus de temps..........qu'.......... en avion (**temps**) (+).

3. En moto, on a exactement ...autant...de liberté......qu'... en voiture (**liberté**) (=).

4. Dans un bateau, on dort ......mieux......que............ dans une voiture (**bien**) (+).

5. L'autocar coûte ....moins.....cher......que............ le train (**cher**) (–).

6. Sur un bateau, la nourriture est ...meilleure......que.................... dans un train (**bon**) (+).

7. La moto est ..moins..confortable...que.... la voiture (**confortable**) (–).

8. Dans une voiture, il y a ..moins.de..passagers..que...... dans un train (**passagers**) (–).

9. La moto va ...aussi..vite..que............ la voiture, il n'y a pas de différence (**vite**) (=).

---

4 **Mettez dans l'ordre.**

1. ta / moins / lampe / que / éclaire / la / bien / mienne
   Ta lampe éclaire moins bien que la mienne.

2. stylo / celui-là / que / mon / mieux / écrit
   Mon stylo écrit mieux que celui-là.

3. voiture / roule / bien / qu' / ma / avant / aussi

    Ma voiture roule aussi bien qu'avant

4. ces / les / que / mieux / autres / te / lunettes / vont

    Ces lunettes te vont mieux que les autres

5. qu' / chez / mon / fonctionne / téléphone portable / mieux / à / moi / l'école

    Mon téléphone portable fonctionne mieux chez moi qu'à l'école

6. appareil / mixe / bien / cet / que / autre / aussi / l'

    Cet appareil mixe aussi bien que l'autre

7. télévision / marche / bien / qu' / ma / avant / moins

    Ma télévision marche moins bien qu'avant

5 **Complétez avec** *le même, la même, les mêmes, au même, à la même.*

Un mauvais détective

Je ne comprends pas !

1. Je suis parti *le même* jour que lui.

2. Nous avons pris *le même* train.

3. Je me suis assis dans *la même* voiture.

4. J'ai vu que nous avions *les mêmes* bagages !

5. Nous sommes allés à la voiture-bar *au même* moment.

6. Je suis descendu *à la même* gare que lui.

7. Nous sommes montés dans *le même* bus.

8. Et je suis sûr que nous sommes descendus *au même* arrêt.

Mais là, je l'ai perdu !

B LE SUPERLATIF

avec un adjectif	C'est **la plus** belle danseuse **du** ballet.
avec un adverbe	C'est elle qui danse **le moins** bien **de la** troupe.
avec un nom	C'est elle qui a **le plus de** talent.
avec un verbe	C'est elle qui répète **le plus**.

Attention ! *C'est une **bonne** danseuse, mais ce n'est pas **la meilleure** !*
*Elle danse **bien**, mais ce n'est pas elle qui danse **le mieux** !*
Les adjectifs qui se placent avant le nom ont deux positions possibles :
*C'est **la plus jolie** danseuse **du** monde ! – C'est la danseuse **la plus jolie du** monde !*

Le comparatif et le superlatif

6 Transformez avec le superlatif.

Avec « Beauté Plus », nous vous garantissons :

1. Un sourire éclatant → *le sourire le plus éclatant.*

2. Un regard séduisant → ....

3. Des cheveux naturels → ....

4. Une peau douce → ....

5. Des mains fines → ....

6. Une silhouette élégante → ....

7. Des dents blanches → ....

7 Mettez dans l'ordre.

Voyages extrêmes

1. connu / froids / climats / il / a / les / les / plus   *Il a connu les climats les plus froids.*

2. il / régions / plus / les / traversé / les / a / isolées

   ....

3. les / les / il / vécu / dans / a / montagnes / sauvages / plus

   ....

4. zones / arrêté / il / dans / les / dangereuses / s'est / plus / les

   ....

5. a / mers / les / calmes / voyagé / il / sur / moins / les

   ....

6. dormi / il / les / accueillants / les / moins / a / dans / endroits

   ....

7. pris / les / fous / il / plus / a / risques / les

   ....

8 Complétez avec *le meilleur, la meilleure, les meilleur(e)s* ou *le mieux.*

En classe avec Lucie

1. Vous avez tous bien travaillé, mais c'est Lucie qui a *le mieux* travaillé.

2. Vos exposés sont bons, mais celui de Lucie est ....

3. Vous dessinez tous bien, mais, pour moi, c'est Lucie qui dessine ....

4. Vous posez tous de bonnes questions, mais Lucie pose toujours ....

5. Dans cette classe, c'est Lucie qui réussit vraiment ....

6. Je pense vraiment que Lucie est .... élève de la classe.

9 Faites des phrases.

À mon avis,

1. Le Sahara / désert / vaste / planète (+)   *Le Sahara est le désert le plus vaste de la planète.*

2. L'Amazonie / forêt / grande / Terre (+)

    ....

3. La Sibérie / endroit / peuplé / Asie (−)

    ....

4. Le Nil / fleuve / long / Afrique (+)

    ....

5. L'Antarctique / région / visitée / monde (−)

    ....

6. Los Angeles / ville / cosmopolite / États-Unis (+)

    ....

BILAN

1 Complétez avec des comparatifs.

	DISNEYLAND PARIS	PARC ASTÉRIX
date d'ouverture	1992	1989
superficie	600 hectares	150 hectares
nombre d'attractions	42	28
prix d'entrée enfants	entre 20 et 26 euros	18 euros
prix d'entrée adultes	entre 24 et 33 euros	25 euros
nombre de visiteurs par an	12,5 millions	1,5 million
nombre d'employés	9 500	180
distance de Paris	environ 30 km	environ 30 km

Le parc Astérix est .... ancien .... (1) le parc Disneyland Paris

mais il est beaucoup .... (2) grand. Les deux parcs sont .... (3)

loin de Paris. Il y a .... (4) visiteurs à Disneyland mais les prix d'entrée au parc

Astérix sont .... (5) élevés. Il n'y a pas .... employés au parc

Astérix .... (6) à Disneyland et il y a .... (7) attractions, mais les

deux sont .... (8) formidables. Allez voir !

Le comparatif et le superlatif — Bilan

2 Complétez avec les comparatifs ou les superlatifs proposés.

autant de   plus… que   moins de… que   le plus   plus de… que   mieux… que
la même   autant de   le plus   plus… que

Ève : J'adore ton appartement ! Il est .... clair .... (1) le mien.

Léa : Oui, et il est .... lumineux .... (2) celui d'avant.

Ève : Chez moi, il y a beaucoup .... soleil .... (3) chez toi.

Léa : C'est vrai, mais c'est normal, moi je suis à l'étage .... (4) élevé !

Ève : Et puis, ton studio est .... situé .... (5) le mien.

Léa : Tu trouves ? Tu habites dans le quartier .... (6) central de la ville !

Ève : D'accord, mais il y a .... bruit .... (7) chez toi. Là où j'habite, ça devient insupportable ! Mais pour les courses, je dois reconnaître que mon quartier est super !

Léa : Près de chez moi, c'est bien aussi, c'est .... (8) chose ; j'ai .... (9) commerces et .... (10) choix, je pense. On a de la chance de vivre ici, non ?

3 Complétez avec des comparatifs et des superlatifs.

Georges : Dans un monde meilleur, je vois .... (1) guerres, ... (2) amour et naturellement .... (3) tolérance entre les hommes qui seront .... (4) individualistes et .... (5) égoïstes. Ils penseront donc .... (6) aux autres.

Albertine : Pour moi, ... (7) important, c'est que tous les hommes vivent .... (8) ! Ils auront .... (9) temps pour les loisirs, ils seront .... (10) stressés et bien sûr .... (11) heureux.

Nicole : Le monde ne sera pas .... (12) si les femmes et les hommes n'ont pas .... (13) droits.

Vous pouvez faire l'évaluation 3, pages 134-135.

LES PRONOMS PERSONNELS COMPLÉMENTS

➤ Dire ce que l'on a fait

A LA PLACE DES PRONOMS COMPLÉMENTS

FORME AFFIRMATIVE	FORME NÉGATIVE
Je **le** connais bien.	Je **ne le** connais **pas** bien.
Tu **lui** as téléphoné hier.	Tu **ne lui** as **pas** téléphoné hier.
Nous **en** mangeons tous les jours.	Nous **n'en** mangeons **pas** tous les jours.
Ils ont pu **en** faire beaucoup.	Ils **n'ont pas** pu **en** faire beaucoup.

1 Mettez dans l'ordre.

Dire ce que l'on a fait

Soirée crêpes

1. à / amis / dîner / invité / samedi / mes / m' / ont / soir
   Mes amis m'ont invité à dîner samedi soir.

2. ai / apporté / boîte / chocolats / de / je / leur / une
   Je leur ai apporté une boîte de chocolats

3. m' / ils / des / ont / crêpes / préparé
   Ils m'ont préparé des crêpes

4. plaisir / avec / avons / dégustées / les / nous
   Nous les avons dégustées avec plaisir

5. avons / en / laissé / n' / nous / pas
   Nous n'en avons pas laissé

6. appelé / ils / m' / ont / taxi / un
   Ils m'ont appelé un taxi

7. ai / longtemps / je / attendu / pas / l' / ne
   je ne l'ai pas attendu longtemps

8. ai / je / les / minuit / quittés / vers
   Je les ai quittés vers minuit

Les pronoms personnels compléments

2 **Répondez de façon négative.** (Rétablissez l'apostrophe si nécessaire.)

Malheureusement, ce n'est pas possible !

1.   – Du ski, vous en faites ?

– Non, malheureusement, nous *ne savons pas en faire* (ne pas savoir).

2.   – Tu lui as dit ?

– Non, je n'ai pas ~~lui~~ pu lui dire : .... (ne pas pouvoir).

3.   – Du café, il en boit ?

– Non, il ne doit pas en boit .... (ne pas devoir),

ça lui est interdit.

4.   – Vous ne lui avez pas parlé !

– Non, nous n'avons pas eu le temps de lui parler (ne pas avoir le temps de).

5.   – Elles ne l'invitent pas ?

– Non, je ne sais pas pourquoi, elles ~~veulent~~ ne veulent pas l'inviter (ne pas vouloir).

6.   – Le film avec Sophie Marceau, tu viens le voir ?

– Non, merci, je n'ai pas envie de le voir : ...... (ne pas avoir envie de).

B **LES PRONOMS COMPLÉMENTS D'OBJET DIRECT ET INDIRECT**

PRONOMS COMPLÉMENTS D'OBJET DIRECT		PRONOMS COMPLÉMENTS D'OBJET INDIRECT	
• Pour une personne : **me (m')** **te (t')** **nous** **vous**	Stéphane **nous** connaît.	• Pour une personne : **me (m')** **te (t')** **lui** **nous** **vous** **leur**.	Stéphane **lui** téléphone. Virginie **t'**écrit.
• Pour une personne ou une chose : **le, la, l', les**	Virginie **l'**adore.		

Attention ! Le pronom complément d'objet direct *le* est aussi utilisé pour remplacer une idée :
– *Tu <u>as pris rendez-vous</u> chez le médecin ? – Non, je ne l'ai pas encore fait.*
Le participe passé s'accorde en genre et en nombre avec le complément d'objet direct, placé devant
le verbe : – *Il a prévenu <u>ses copains</u> ? – Oui, il **les** a prévenus.*

3 **Faites comme dans l'exemple.**

1.   Je ***leur*** ai montré mes papiers.

a.   les agents de police ☐

b.   aux agents de police ☑

2.   Tu <u>les</u> comprends bien ?

a.   aux films en version originale ☐

b.   les films en version originale ☑

Les pronoms personnels compléments

3. Je la regarde pour savoir l'heure.

a. à ma montre ☐

b. ma montre ☑

4. Nous les aimons comme ils sont.

a. à nos amis ☐

b. nos amis ☑

5. On lui téléphone pour prendre rendez-vous.

a. au dentiste ☑

b. le dentiste ☐

6. Je la regarde pour me détendre.

a. à la télévision ☐

b. la télévision ☑

7. Tu dois lui parler fort.

a. ta grand-mère ☐

b. à ta grand-mère ☑

8. Tu leur fais confiance ?

a. aux politiciens ☑

b. les politiciens ☐

9. Elle lui ressemble beaucoup.

a. à sa mère ☑

b. sa mère ☐

10. Les élèves l'écoutent avec attention.

a. au professeur ☐

b. le professeur ☑

4 Complétez avec le pronom correct.

1. Je l'appelle ce soir (l'/lui).
2. Tu ne ....les...... connais pas (les/leur).
3. Nous ...leur.... avons annoncé la bonne nouvelle (leur/les).
4. Pourquoi ne ....lui....... réponds-tu pas (la/lui) ?
5. Vous ....l'..... appréciez (lui/l') ?
6. Je ne ......lui...... ai rien envoyé (la/lui).
7. Ils ne ....leur.... disent pas toujours la vérité (les/leur).
8. C'est vous qui ....la........ prévenez (lui/la) ?

5 Complétez avec les ou leur.

Qui est invité ?

Sophie : Tu invites tous tes copains pour ton anniversaire ?

Annick : Non, je ne **les** (1) invite pas tous. Mon appartement n'est pas assez grand.

Muriel et Laure, je ....les...... (2) invite, c'est sûr, je ....les...... (3) aime vraiment beaucoup.

Sophie : Alain et Sylvie, ils seront là ?

Annick : Non, je n'ai pas envie de ....les..... (4) voir, en ce moment. Je trouve difficile

de ...leur.... (5) parler. Je ...leur.... (6) ai peut-être dit quelque chose qu'ils n'ont pas aimé.

Sophie : Vous n'allez pas rester fâchés comme ça.

Les pronoms personnels compléments

Annick : Non, je vais ..les.. (7) contacter, mais après mon anniversaire.

Sophie : Et les trois frères Martin ?

Annick : Je ...leur.... (8) ai téléphoné la semaine dernière. Ils viennent tous les trois.

Sophie : Et tu ...leur.... (9) prépares quoi à dîner, à tous ces gens ?

Annick : Une raclette ! J'espère que ça va ...leur.... (10) plaire !

6 **Complétez avec *me, m', te, la, lui* ou *l'*.**

La mère : Adrien, laisse ton frère Alex tranquille !

Adrien : Je ne *lui* (1) fais rien !

La mère : Si, avec ta télévision, tu ....l'.. (2) empêches de travailler.

Adrien : D'habitude, il ......me.... (3) dérange avec sa musique, et quand je .....lui........ (4)
demande de ....l'.... (5) arrêter, il ......la.... (6) met plus fort !

La mère : Ce n'est pas une raison pour ....l'...... (7) ennuyer, tu sais qu'il a un examen demain.
Je ......te..... (8) demande de ....m'... (9) obéir immédiatement !

Adrien : Je fais ce que je veux !

La mère : Tu ne .....me..... (10) parles pas comme ça !

7 **Soulignez la forme correcte du participe passé.**

Départ à l'étranger

1. Ta valise, tu l'as **préparé/préparée** ?
2. Tes plantes, tu les as **rentré/rentrées** ?
3. Tes clés, tu les as **laissé/laissées** chez qui ?
4. La concierge, tu l'as **prévenue/prévenu** ?
5. Ton passeport, tu ne l'as pas **oubliée/oublié** ?
6. L'adresse des gens chez qui tu vas, tu l'as **notée/noté** ?
7. Ta carte de crédit, tu l'as bien **prise/prises** ?
8. Et tes vaccins, tu les as **faits/faites** ?

– Oui, maman, j'ai fait tout ça. Je ne suis plus un enfant !

8 **Accordez le participe passé si nécessaire.**

Dire ce que
l'on a fait

Je pars !

Ça y est ! Ma maison, je l'ai vendue (1) à des voisins.

Ils me l'ont acheté.e.. (2) à un bon prix. Je l'avais refait.e.. (3) entièrement. Ils l'ont trouvée... (4)
très agréable.

Les pronoms personnels compléments

Mes meubles de salon, je les ai donné**s**... (5) à des copains.
Ils les ont repeint**s**.... (6) et ils les ont mis...... (7) dans leur
maison de campagne.

Ma vaisselle, je l'ai laissé**e**... (8) à mes parents. Mes vieux
vêtements, je les ai donné**s**. (9) à la Croix-Rouge.
Mes livres et mes disques, je les avais promis...... (10)
à ma sœur. Maintenant, je n'ai plus rien, je peux partir !

C LE PRONOM *EN*

FORME AFFIRMATIVE	FORME NÉGATIVE
Un ordinateur ? Il **en** a **un**.	Il n'**en** a pas.
Une voiture ? Il **en** a **une**.	Il n'**en** a pas.
Du fromage ? Il **en** mange à tous les repas.	Il n'**en** mange jamais.
Des verres de contact ? Il **en** porte.	Il n'**en** porte plus.
De la banque ? Il **en** revient.	Il n'**en** est pas encore revenu.
De ses vacances ? Il **en** parle beaucoup.	Il n'**en** parle pas.

9 **Complétez avec *en* et un des mots proposés.**
(Rétablissez l'apostrophe si nécessaire.)

Les artistes français

~~beaucoup~~ ~~plusieurs~~ ~~quelques-unes~~ un une aucun

– Vous connaissez des actrices françaises ?

– J'*en* connais *quelques-unes* (1). Ma préférée, c'est Juliette Binoche.

– Et des acteurs ?

– Je ne ...n'en............ connais que.'.un.................. (2) seul, en réalité. C'est Gérard Depardieu.

– Et des sculpteurs ?

– Je ne ...n'en............ connais ....aucun........ (3). Je suis désolé.

– Des chanteurs ?

– Oui. Il y ......en.............. a .....plusieurs......... (4) que j'aime beaucoup, mais j'ai oublié leur nom.

– Des chanteuses ?

– Oui, je ....'en................ connais ....beaucoup... (5) ! Je ne peux pas les nommer toutes !

Et puis, ce sont des chanteuses francophones, pas seulement des Françaises.

– Et des romancières ?

– Je ..'en................. connais ......une............ (6) mais elle n'est pas contemporaine.

– Et des romanciers ?

– Alors là, la liste serait trop longue !

Les pronoms personnels compléments

10 Répondez avec le pronom *en* et conjuguez le verbe au présent.

1. Ils ont fait une grave erreur. Ils *en ont honte* (**avoir honte**).
2. Nous adorons la politique. Nous ......*en discutons*...... (**discuter**) souvent.
3. La décision du ministre de la Jeunesse et des Sports, qu'est-ce que tu ....*en*........ ......*penses*.......... (**penser**) ?
4. Être membre d'un parti politique, tu .....*en as envie*........ (**avoir envie**) ?
5. Ils ont eu d'excellents résultats aux dernières élections. ~~N~~ ......*n'en ~~pas ne suis p~~*....
   Je n'en suis pas surpris
   (**ne pas être surpris**).
6. Les mouvements extrémistes, tu ....*n'en as pas peur*....... (**ne pas avoir peur**) ?
7. L'élection présidentielle de 1981, je ....*m'en souviens*............... (**se souvenir**) très bien.
8. Les injustices sociales, on ...~~mons~~*'en occupe pas*...(**ne pas s'occuper**) assez.

■ Le pronom *en* ou les pronoms *le, la, l', les* ?

EN	LE, LA, L', LES
Une veste ? J'**en** mets **une**.	Ma veste noire ? Je **la** mets souvent.
Le journal ? J'**en** lis **quelques pages**.	Le journal ? Je **le** lis de la première à la dernière page.

11 Complétez avec *en, le, la, l'* ou *les*. (Rétablissez l'apostrophe si nécessaire.)

Ma garde-robe

1. Des lunettes ? Non, je *n'en porte pas* (**ne pas porter**).
2. Un chapeau ? J'*en mets un*............ (**mettre**) de temps en temps.
3. Mes lunettes ? Je .....*les cherches*.............. (**chercher**) tout le temps.
4. Une robe longue ? J'*en ai une*................ (**avoir**).
5. Des bottes ? J'~~en Je~~ *n'en ai pas*.......... (**ne pas avoir**).
6. Mon chapeau noir ? Je ....*le mets*................... (**mettre**) quand il pleut.
7. Ma robe longue ? Je ~~'en port Je la porte~~....... (**porter**) quand je vais à l'opéra.
8. Mon imperméable ? Je .*l'emporte*................ (**emporter**) toujours avec moi.
9. Tes bottes ? Je ....*ne les aime pas*............. (**ne pas aimer**).
10. Un manteau ? J'en....*achete un*................ (**acheter**) demain.

12 Complétez avec *le, l', les* ou *en*.

Tout ou un peu ?

– Qui a fini le gâteau ?

– J'*en* (1) ai mangé un peu et les autres *l'*(2) ont terminé.

– Vous prenez ces trois pantalons ?

– Je voudrais .....**les**.... (3) prendre tous les trois mais je vais ....**en**.... (4) prendre un seul, c'est plus raisonnable.

– Il a pris ses médicaments ?

– Il .....**en**.... (5) a pris deux ; les autres, il ne veut pas .....**les**... (6) prendre.

– Vous connaissez les châteaux de la Loire ?

– Nous ne .....**les**.... (7) connaissons certainement pas tous. Nous .....**en**.... (8) avons visité plusieurs pendant les vacances. Ils sont splendides !

– Où allez-vous mettre tous ces livres ?

– Je pensais ....**les**..... (9) ranger sur les étagères du salon, mais elles ne sont pas assez grandes, alors je vais .....**en**.... (10) mettre la moitié dans l'entrée.

– Elle a lu *Germinal* de Zola en entier ? En français ?

– Non, elle devait ......**le**..... (11) lire pour son examen mais elle ....**en**.... (12) a lu les deux tiers seulement.

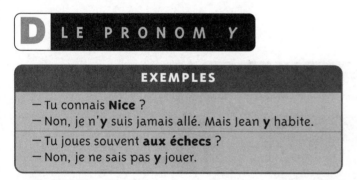

D LE PRONOM Y

EXEMPLES

— Tu connais **Nice** ?
— Non, je n'**y** suis jamais allé. Mais Jean **y** habite.

— Tu joues souvent **aux échecs** ?
— Non, je ne sais pas **y** jouer.

Attention ! Des verbes comme *penser* ont deux formes de complément possibles :
*Je pense à mes vacances, j'**y** pense.* Mais : *Je pense à mon ami, je pense **à lui**.*

13 Dites ce que le pronom *y* remplace.

	un lieu	quelque chose
1. Je n'y retournerai jamais plus !	✔	....
2. L'idée est intéressante ! Tu y réfléchis ?	....	✓
3. Plus j'y pense, plus je trouve ça formidable.	....	✓
4. Tu y vas, d'accord, mais ne rentre pas trop tard !	✓	....
5. Quel hasard ! Nous y partons la semaine prochaine !	✓	....
6. Chez le dentiste, je déteste y aller.	✓	....
7. Moi, je suis passionné, lui, il ne s'y intéresse pas du tout !	....	✓
8. Je ne sais pas si je vais y participer.	....	✓

14 Complétez les phrases avec le pronom *y* et mettez les verbes à la forme correcte.

– Alors, vous avez trouvé une solution à votre problème ?

– Pas vraiment. Nous **y *réfléchissons*** (1) (**réfléchir**) tout le temps, mais sans grand résultat.

– Vous aimez Paris ?

– Au début, je ne voulais pas .... (2) (**vivre**), mais peu à peu, j'ai commencé à aimer la ville. Elle est merveilleuse, mais je ne sais pas si je pourrais .... (3) (**rester**) toute ma vie.

– C'est un problème difficile ?

– Oui, je .... (4) (**ne rien comprendre**).

– Essaie quand même de le faire !

– Non, c'est inutile, n'insiste pas, je .... (5) (**ne pas arriver**).

– Et l'université ? Quand devez-vous .... (6) (**aller**) pour vous inscrire ? Il faut .... (7) (**penser**) avant la date limite.

– Je ne connais pas Toulouse, mais je sais qu'on .... (8) (**rencontrer**) des gens charmants et ouverts et qu'on .... (9) (**manger**) très bien.

E LES PRONOMS TONIQUES

EXEMPLES

Il va <u>plus</u> vite <u>que</u> **moi**.
Ce n'est pas <u>pour</u> **elle**, c'est <u>pour</u> **eux**.

15 Complétez avec un pronom tonique.

1. Hubert, assieds-toi en face de ***moi***, je te verrai mieux.

2. – Tu peux me rendre un service ?

    – Qu'est-ce que je peux faire pour .... ?

    – Je dois aller chez des copains et il n'y a pas de transports pour aller chez ....

    – Ils habitent où ?

    – Près de Versailles.

    – Bon. Viens avec ...., je te dépose, c'est sur mon chemin.

3. – La place est libre à côté de ...., Mademoiselle ?

    – Non, je regrette, il y a déjà quelqu'un.

4. – Jacques est arrivé ?

   – Non, je n'ai aucune nouvelle de ....

   – Je ne veux pas qu'il parte sans ...., nous devons aller tous les deux chez Isabelle.

   – Ne t'inquiète pas, tu peux compter sur ...., il tient toujours ses promesses.

5. – Je suis vraiment contente. Mes parents m'ont aidée et, grâce à ...., j'ai pu m'acheter une voiture d'occasion.

   – Tu as de la chance ! Tu me la prêteras ?

   – À ...., oui, mais aux autres, je ne crois pas.

16 Complétez avec un verbe au présent et un pronom tonique.

avoir peur de   être fier de   ~~faire attention à~~   se souvenir de
rêver de   s'occuper de   se moquer de   penser à

1. Elles ne laissent pas les enfants seuls. Elles **font attention à eux.**
2. Michel est toujours dans mes pensées. Je ....
3. Vous riez de Caroline. Vous ....
4. Elle n'a pas oublié Paul et Pierre. Elle ....
5. Tu penses à Luc quand tu dors. Tu ....
6. On prend soin des personnes âgées. On ....
7. Les enfants pleurent quand ils le voient. Ils ....
8. Robert parle de ses enfants à tout le monde. Il ....

BILAN

1 Mettez dans l'ordre.

Tu as visité le château de Vaux-le-Vicomte ?

1. – ai / pas / je / l' / visité / encore / ne

   ....

2. – aller / le / penses / bientôt / tu / voir / ?

   ....

Les pronoms personnels compléments — Bilan

3. – y / je / ai / pas / envie / aller / n' / seul / d'

....

4. – tu / avec / venir / veux / ? / copains / moi / des / et

....

5. – vous / ne / je / veux / déranger / pas

....

6. - nous / ne / tu / pas / du / dérangeras / tout

....

7. – va / en / y / on / ? / voiture

....

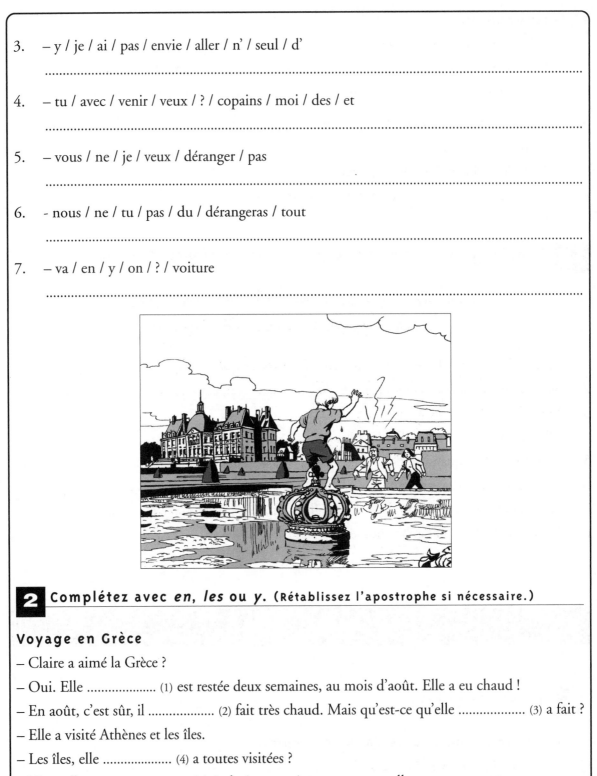

2 **Complétez avec *en, les* ou *y*.** (Rétablissez l'apostrophe si nécessaire.)

Voyage en Grèce

– Claire a aimé la Grèce ?

– Oui. Elle .... (1) est restée deux semaines, au mois d'août. Elle a eu chaud !

– En août, c'est sûr, il .... (2) fait très chaud. Mais qu'est-ce qu'elle .... (3) a fait ?

– Elle a visité Athènes et les îles.

– Les îles, elle .... (4) a toutes visitées ?

– Non, elle .... (5) a visité plusieurs mais pas toutes, et elle .... (6) est revenue enchantée.

– Je me souviens, quand je .... (7) suis allé, je .... (8) ai passé dix jours formidables. Je rêve de .... (9) retourner pour ne jamais .... (10) repartir !

3 Complétez avec un pronom. (Rétablissez l'apostrophe si nécessaire.)

1. – Tu connais ce jeu de cartes ?
   – Je .... ai entendu parler mais je ne .... connais pas.
   – Moi, je .... adore. Je vais .... expliquer la règle.

2. – Tiens, tu as une nouvelle voiture ?
   – Oui, l'ancienne était trop petite. Je .... ai vendue et je .... ai acheté une autre plus pratique. Tu viens avec .... faire un tour ?

3. – Tu as parlé à ta sœur de la fête de ce soir ?
   – Non, pas encore. Je .... ai téléphoné hier soir mais elle n'était pas chez .... Je vais essayer de .... rappeler tout à l'heure.

4. – Il y a de la tarte, tu .... veux ?
   – Je .... veux bien un petit morceau. C'est .... qui .... as faite ?
   – Oui, et je crois que je .... ai bien réussie.

4 Complétez avec un pronom. (Rétablissez l'apostrophe si nécessaire.)

L'aventurier

– Je vais partir.

– Où ça ?

– En Argentine, je n'.............. (1) suis jamais allé. D'après un copain, on peut encore .... (2) trouver du travail facilement. Avec mon expérience des chevaux, je vais essayer de travailler dans une ferme.

– Toi, dans une ferme ? Qu'est-ce que tu vas .... (3) faire ?

– Tu sais que j'adore les chevaux, je .... (4) connais bien, je m'.............. (5) occupais quand j'habitais en Camargue.

– Tu connais quelqu'un en Argentine ?

– Oui, Maria. Tu te souviens de .... (6) ? Elle travaillait avec .... (7) à Arles. Je .... (8) ai écrit.

– Tu .... (9) as parlé de ton projet ?

– Oui, elle .... (10) trouve intéressant. Et elle .... (11) a répondu et .... (12) propose d'habiter chez .... (13) dans un premier temps.

– Et après ?

– Après, on verra.

– Mais c'est loin, l'Argentine, tu comptes .... (14) revenir un jour ?

– Peut-être que j'.............. (15) resterai pour toujours !

L'IMPÉRATIF

➤ Donner des directives ➤ Conseiller

A LES FORMES AFFIRMATIVE ET NÉGATIVE

IMPÉRATIF AFFIRMATIF	IMPÉRATIF NÉGATIF
Finis ton travail ! **Prenons** la voiture ! **Faites** attention !	**Ne finis pas** tout de suite ! **Ne prenons pas** ce train ! **Ne faites pas** d'erreurs !
Parl**e** moins fort ! V**a** ranger tes affaires !	Ne parl**e** pas comme ça ! Ne v**a** pas là-bas !

Attention ! Quatre verbes irréguliers : *être* : **sois, soyons, soyez** – *avoir* : **aie, ayons, ayez** – *savoir* : **sache, sachons, sachez** – *vouloir* : **veuillez** (surtout utilisé dans la correspondance écrite : *Veuillez agréer, Madame, mes sentiments les meilleurs*).

1 Conjuguez les verbes à l'impératif.

Conseiller

Conseils contre le stress

1. *Aimez* **(aimer)** ce que vous faites. Vous le ferez mieux.
2. .... **(ne pas chercher)** à plaire à tout le monde.
3. .... **(être)** d'abord vous-même.
4. .... **(penser)** à vous.
5. .... **(savoir)** refuser les invitations.
6. .... **(dire)** ce que vous pensez.
7. .... **(faire)** du sport.
8. .... **(ne plus prendre)** votre voiture.

2 Complétez avec les verbes à l'impératif.

Donner des directives

Leçon de conduite

~~démarrer~~ accélérer tourner regarder ne pas aller ralentir ne pas être

ne pas prendre arrêter mettre

Tu es prêt ? *Démarre* (1) ! .... (2) dans le rétroviseur ! .... (3)

nerveux comme ça, tout ira bien ! .... (4) ton clignotant avant de partir !

Oui, c'est ça ! .... (5) ! Mais .... (6) trop vite ! Tu vas trop

vite, ... (7) ! .... (8) à gauche ! .... (9)

la première rue, mais la deuxième ! C'est bien ! Maintenant, ... (10) le moteur.

Tu vois, avec moi, c'est facile de conduire !

3 **Complétez avec les verbes à l'impératif.**

Donner
des directives

Recette
des crêpes Suzette

250 g de farine
4 œufs
1 cuillère à soupe d'huile
1 cuillère à soupe de rhum
2 cuillères à soupe de sucre
1/2 litre de lait
1 pincée de sel

~~mettre~~   laisser   verser   casser   ajouter   tourner   faire   choisir

1. *Mettez* la farine dans un grand bol.

2. .... les œufs sur la farine.

3. .... le lait progressivement.

4. .... la pâte lentement.

5. .... l'huile, le rhum, le sucre et le sel.

6. .... reposer la pâte (2 heures environ).

7. .... les crêpes petit à petit.

8. .... un bon cidre pour boire avec les crêpes.

B L'IMPÉRATIF ET LES VERBES PRONOMINAUX

IMPÉRATIF AFFIRMATIF	IMPÉRATIF NÉGATIF
Lève-**toi** !	Ne **te** lève pas !
Asseyons-**nous** !	Ne **nous** asseyons pas !
Couchez-**vous** !	Ne **vous** couchez pas !

Attention ! N'oubliez pas le trait d'union (-) entre les verbes et les pronoms à la forme affirmative.

4 Conjuguez les verbes à l'impératif.

Donner
des directives

Tous les matins, c'est comme ça !

1. Les enfants, *réveillez-vous* (**se réveiller**), il est 7 heures !

2. Toi, Guillaume, ... (**se laver**) le premier ! D'accord ?

3. Les enfants, maintenant .... (**s'habiller**) vite et

   .... (**s'asseoir**) pour le petit déjeuner.

4. .... (**se souvenir**), mon chéri, que ce soir nous avons des invités.

   Et toi, Clotilde, ... (**se dépêcher**) de rentrer après l'école !

   .... (**ne pas s'arrêter**) chez ta copine comme d'habitude.

5. Maintenant, ... (**se presser**), vous allez être en retard et

   .... (**se rappeler**) tout ce que je vous ai dit !

5 Conjuguez les verbes à l'impératif.

Des promesses

Mon chéri, *promettons-nous* (1) (**se promettre**) une chose : .... (2)

(**se revoir**) dans un an, ici, et pendant ce temps .... (3) (**s'écrire**) tous

les jours après le travail, et puis .... (4) (**se téléphoner**) au moins une

fois par semaine mais .... (5) (**ne pas se fâcher**) si l'un de nous oublie !

.... (6) (**se souvenir**) toujours des bons moments passés ensemble !

Maintenant, ... (7) (**s'embrasser**) encore une fois et

.... (8) (**se rappeler**) nos promesses pour toujours !

C L'IMPÉRATIF ET LES PRONOMS COMPLÉMENTS

IMPÉRATIF AFFIRMATIF	IMPÉRATIF NÉGATIF
Donne-moi ça !	Ne me donne pas ça !
Donnons-lui !	Ne lui donnons rien !
Donnes-en !	N'en donne plus !
Vas-y !	N'y va pas !

Attention ! Les verbes qui se terminent par *-e* et le verbe aller avec **va** prennent un *-s* quand ils sont suivis des pronoms *en* ou *y* : *manges-en, vas-y.*

6 **Associez.**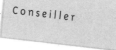

Conseils divers

1. Vous voulez acheter des chaussures de ski ? a. Prenez-les une pointure plus grande !
2. Votre plante ne pousse pas bien ? b. Répondez-lui !
3. C'est l'anniversaire de vos parents ? c. Placez-la à la lumière !
4. Votre ami(e) vous écrit ? d. Offrez-leur une croisière !
5. Vous voulez des places pour l'opéra ? e. Parlez-en à votre meilleur(e) ami(e) !
6. Vous avez des problèmes ? f. Réservez-les à l'avance !

1.	2.	3.	4.	5.	6.
a					

7 **Mettez en ordre et associez.** Donner des directives

1. perds / la / pas / ne / !   ***Ne la perds pas !***

2. fais / fois / par / deux / semaine / - / le / !

....

3. - / les / matin / pour / ouvre / chaque / aérer / ! a. La clé.

.... b. Les fenêtres.

4. leur / pas / ne / trop / à / donne / manger / ! c. Le chien.

.... d. Les plantes.

5. soir / n'/ pas / de / promener / le / oublie / le / ! e. Le ménage.

.... f. Les poissons rouges.

6. souvent / les / pas / arrose / ne / trop / !

....

1.	2.	3.	4.	5.	6.
a					

8 Faites comme dans l'exemple.

Recommandations

1. Tu veux aller en discothèque ? *Vas-y* mais *n'y va pas* seule.

2. Tu veux utiliser l'ordinateur ? .... mais .... trop longtemps.

3. Vous voulez regarder la télé ? .... mais .... après le dîner.

4. Tu veux manger des bonbons ? .... mais .... le soir.

5. Vous voulez appeler vos amis ? .... mais .... pour rien.

6. Tu veux inviter tes copains ? .... mais .... tous les jours.

7. Vous voulez prendre la voiture ? .... mais .... lundi prochain.

8. Tu veux aller au cinéma ? .... mais .... trop tard.

BILAN

1 Conjuguez les verbes à l'impératif.

Leçon de rollers

Il y a un banc là, ... (1)

(s'asseoir) et .... (2)

(mettre) nos rollers ! Tu sais, Luc, les rollers, ce n'est pas compliqué, ... (3)

(faire) comme moi ! .... (4)

(se mettre) debout et .... (5)

(essayer) de rester en équilibre !

.... (6) **(ne pas avoir)** peur !

.... (7) **(ne pas être)** nerveux comme ça ! Oui, c'est bien !

.... (8) **(me donner)** la main. Maintenant .... (9)

(avancer) le pied gauche puis l'autre pied ! .... (10) **(plier)** un peu les jambes ! .... (11) **(ne pas les plier)** trop ! Comme ça, c'est bien !

.... (12) **(continuer)** ! Attention, ... (13)

(ne pas écarter) trop les jambes ! .... (14) **(les garder)** parallèles !

Là, ça y est ! Maintenant, ... (15) **(y aller)** ensemble !

2 Conjuguez les verbes à l'impératif.

Au voleur !

– Mon chéri, tu dors ? .... (1) **(se réveiller)** vite et .... (2)

(ne pas se fâcher) ! .... (3) **(se lever)** et .... (4)

(venir) avec moi ! .... (5) **(se dépêcher)** ! .... (6)

(me suivre) et .... (7) **(ne pas faire)** de bruit ! .... (8)

(s'approcher) de la fenêtre ! Allez, ... (9) **(ne pas se rendormir)**,

.... (10) **(ouvrir)** les yeux, ... (11) **(regarder)**, il est

encore là ! .... (12) **(aller)** appeler la police !

– Non, ... (13) **(ne pas s'inquiéter)**, ce n'est pas un voleur, c'est le fils

du voisin qui rentre de discothèque.

3 Conjuguez les verbes à l'impératif.

La terreur du quartier

– Bonjour Madame,

.... (1) **(vouloir)**

vous asseoir ! Quel est votre problème ?

– Docteur, mon chien devient agressif.

– Que lui donnez-vous à manger ?

– De la viande, bien évidemment !

– Je comprends.

.... (2) **(lui donner)** aussi des légumes et des fruits coupés en morceaux

et .... (3) **(les ajouter)** à sa viande ! Vous le sortez souvent ?

– Deux ou trois fois par jour.

– Ce n'est pas assez ! .... (4) **(le promener)** plus souvent, mais

.... (5) **(ne pas oublier)**, ... (6) **(le tenir)** en laisse

et .... (7) **(lui mettre)** une muselière quand vous n'êtes pas seule dans

le jardin. Vous le caressez ? Non ? .... (8) **(le caresser)** fréquemment

et .... (9) **(l'appeler)** par son nom. .... (10)

(ne pas crier) et .... (11) **(ne pas le frapper)** ! .... (12)

(être) douce avec lui ! À propos, votre chien, comment s'appelle-t-il ?

LES PRONOMS RELATIFS

➤ Caractériser une chose ➤ Définir une chose, une personne

A LES PRONOMS RELATIFS *QUI*, *QUE* ET *OÙ*

qui : sujet	Je travaille dans une entreprise J'ai un directeur	**qui** **qui**	exporte dans le monde entier. ne parle pas français.
que : complément **d'objet direct**	Je connais tous les produits Je travaille avec des collègues	**que** **que**	nous vendons. j'aimerais te présenter.
où : lieu **temps**	Voilà le bureau J'ai commencé le jour	**où** **où**	je passe mes journées. mon fils est né.

1 Complétez avec *qui*, *que* ou *qu'* et trouvez le fruit.

Caractériser une chose

la pomme   la pêche   le ~~raisin~~   ~~la banane~~   l'orange

Salade de fruits !

1. Voilà un fruit *qui* pousse à la Martinique, *que* vous devez manger sans la peau et *qui* est jaune : *la banane.*

2. Voilà un fruit ...*qui*.... est acide, ..*qui*... porte le nom d'une couleur et ...*que*... les sportifs aiment beaucoup pour les vitamines C .....*qu'*. il contient : ......*l'orange*...... .

3. C'est un fruit .....*qu'*. on récolte à la fin de l'été en Europe, ...*qui*.. sert à faire le vin et .....*qu'*. on achète en grappes : ...*le raisin*...... .

4. Voilà un fruit ..*que*.. vous trouverez l'été en Europe sur les marchés, ...*qui*... est rouge, blanc ou jaune et .*qui*... a un noyau : ....*la pêche*...... .

5. C'est un fruit *qu'*..... peut être vert, jaune ou rouge, ..*que*.. les enfants mangent souvent en compote : ..*la pomme*... .

2 Faites une seule phrase avec *qui*, *que* ou *qu'*.

Définir une chose

Jeux de société

1. Le bridge est un jeu de cartes.
a. Il exige une bonne mémoire visuelle.
b. Les enfants ne l'aiment pas.

Le bridge est un jeu de cartes *qui exige une bonne mémoire visuelle et* ...*que*.....*les*...............
..*enfants n'aiment pas*...................................... .

Les pronoms relatifs

2. Le Scrabble est un jeu.

a. Il développe la connaissance du vocabulaire.

b. On le pratique en famille ou entre amis.

Le Scrabble est un jeu .....qui développe la connaissance du vocabulaire....
...et qu'on pratique en famille ou entre amis..................... .

3. Le jeu des sept familles est un jeu de cartes.

a. Les enfants l'adorent.

b. Il consiste à composer des familles.

Le jeu des sept familles est un jeu de cartes ..que les enfants l'adorent et....
..qui consiste à composer des familles.......................... .

3 **Complétez avec *qui*, *que* ou *qu'*.**

Définir
une personne

1. Un enfant coquin : c'est un enfant *qui* fait des blagues et *que*
   les professeurs n'aiment pas beaucoup.

2. Un enfant extraverti : c'est un enfant ..qui.... parle à tout le monde et .....qu'. on entend
   beaucoup.

3. Un enfant timide : c'est un enfant .qui.... reste seul et ..qu'.... rougit souvent.

4. Un enfant vif : c'est un enfant ...qui... comprend très vite et ..que... les adultes remarquent.

5. Un enfant sage : c'est un enfant ..qui.... obéit et ......qu'. on félicite souvent.

6. Un enfant rebelle : c'est un enfant ..qui.. n'est jamais d'accord et .qui... fatigue ses parents.

4 **Complétez avec *que* ou *où*. (Rétablissez l'apostrophe si nécessaire.)**

En attendant l'été

Mon amour,

Il y a déjà une semaine que tu es partie pour cette mission au Kenya. Dimanche dernier,
j'ai voulu revoir le parc *où* (1) nous nous sommes connus. J'ai retrouvé le banc ..où...... (2)
tu étais assise le soir ...où.... (3) je t'ai rencontrée. Tu te rappelles ? C'était un jour ...où..... (4)
il faisait très chaud. Puis, je suis retourné au petit café ..que... (5) nous avons découvert
le dimanche ..où..... (6) un violent orage nous a surpris. Je me suis installé quelques minutes à
la place ...que... (7) tu occupais, « ta » place, pour regarder les choses ...que... (8) tu regardais,

entendre les bruits .....*que*... (9) tu entendais. J'ai marché longtemps dans la rue étroite ....*où*..... (10) se trouve toujours la vieille librairie ....*où*.... (11) tu travaillais quand nous nous sommes connus ; cette librairie ...*que*... (12) je fréquentais si souvent !

Revoir tous ces endroits m'a fait du bien et j'attends ton retour avec impatience.

Je t'aime.

Richard

B LE PRONOM RELATIF *DONT*

Expression verbale + *de* parler de avoir besoin de	Je ne connais pas l'agence	**dont**	tu parles.
	Je n'ai pas le matériel	**dont**	j'ai besoin pour travailler.
Adjectif + *de* être content de	J'ai présenté un projet	**dont**	je suis très content.

5 Associez et complétez avec *dont*.

1. Le lycéen
2. Les fiancés
3. Le photographe
4. L'écrivain
5. La vieille dame
6. L'homme politique
7. La jeune fille au pair

a. Ils rêvent d'un grand mariage.
b. Elle s'occupe des enfants.
c. Il est très fier de ses résultats scolaires.
d. Elle se souvient de sa jeunesse.
e. Les journaux parlent de son dernier livre.
f. Il a besoin d'un nouvel appareil.
g. Il est très satisfait des dernières élections.

1.	2.	3.	4.	5.	6.	7.
c	a	f	e	d	g	b

1. Le lycéen pense à ses résultats scolaires ***dont il est très fier.***
2. Les fiancés préparent le grand mariage ...*dont ils rêvent*........................ .
3. Le photographe achète le nouvel appareil ...*dont il a besoin*........................ .
4. L'écrivain pense à son dernier livre ...*dont les journaux parlent*................ .
5. La vieille dame raconte à ses petits-enfants sa jeunesse ...*dont elle se souvient*..... .
6. L'homme politique évoque les dernières élections ...*dont il est très satisfait*.......... .
7. La jeune fille au pair aime beaucoup les enfants ...*dont elle s'occupe*...................... .

6 Faites une seule phrase avec *dont.*

1. Finalement, ils ont acheté l'appartement. (**Je t'ai parlé de cet appartement.**)
    Finalement, ils ont acheté l'appartement dont je t'ai parlé.

2. J'ai trouvé un studio. (**Je suis très content de ce studio.**)
    dont je suis très contente .

3. Tu n'as pas pu trouver la villa ? (**Tu rêvais de cette villa.**)
    dont tu rêvais .

4. Elle a acheté un deux-pièces. (**Elle est enchantée de ce deux-pièces.**)
    dont elle est enchantée .

5. C'est la maison de mon enfance. (**Je me souviens parfaitement de cette maison.**)
    dont je me souviens parfaitement .

6. Ils ont hérité d'un château. (**Ils sont très fiers de ce château.**)
    dont ils sont très fiers .

7 Transformez les phrases avec *dont.*

Je suis comme ça !

1. J'ai besoin d'une chose dans la vie : les livres.
    Il y a une chose *dont j'ai besoin dans la vie : les livres.*

2. Je suis fier d'une chose dans cette maison : mon jardin.
    Il y a une chose dont je suis fier dans cette maison : mon jardin.

3. Je suis content d'une chose : mon métier.
    Il y a une chose dont je suis content : mon métier .

4. J'ai peur d'une chose : les serpents.
    Il y a une chose dont j'ai peur : les serpents

5. Je suis toujours surpris d'une chose : l'imagination des enfants.
    Il y a une chose dont je suis toujours surpris : l'imagination des enfants.

6. Je suis souvent déçu d'une chose : les émissions à la télévision.
    Il y a une chose dont je suis souvent déçu : les émissions à la tv.

BILAN

1 Complétez avec *qui, que* ou *dont.*

Le mondial de l'automobile

Le concessionnaire : Cette voiture vous intéresse ?

Le client : Oui, mais c'est une voiture .....qui......... (1) coûte cher !

Le concessionnaire : Vous savez, c'est un modèle .....qui......... (2) se conduit facilement et ....que....... (3) vous garderez au moins dix ans.

Le client : Le prix ......qui......... (4) est affiché, c'est avec toutes les options ?

Le concessionnaire : Non, c'est le seul modèle .....que......... (5) nous présentons ici, mais je peux vous montrer notre catalogue. Vous voyez, nous avons des modèles ....qui....... (6) roulent au diesel par exemple mais ......qui......... (7) sont plus chers.

Le client : Et l'électrique ?

Le concessionnaire : Nous produisons deux petites voitures ....qui....... (8) fonctionnent à l'électricité, regardez, mais c'est pour la ville.

Le client : La voiture ......dont..... (9) je rêve, c'est un cabriolet.

Le concessionnaire : Eh bien voilà l'automobile ....dont..... (10) vous avez envie !

Le client : Oui, c'est exactement cela mais c'est beaucoup trop cher pour moi ! Je peux réfléchir quelque temps ?

Le concessionnaire : Bien sûr, Monsieur.

2 Complétez avec *qui, où* ou *dont.*

Au festival de Cannes

– Vous avez aimé le film ?

– Oui, c'est un film ......qui......... (1) m'a beaucoup touchée.

– Vous avez apprécié les acteurs ?

– Surtout le héros, c'est un acteur ....dont..... (2) je suis folle.

– Vous souvenez-vous de son dernier film ?

– Tout à fait, c'était une histoire ....qui..... (3) se passait en Égypte.

– Quelle a été votre scène préférée ?

– C'est le moment ....où......... (4) il embrasse l'héroïne bien sûr !

Les pronoms relatifs — Bilan

– Que pensez-vous du festival de Cannes ?

– C'est un événement formidable ...... *dont* ...... (5) tout le monde parle et c'est bien !

– Vous y venez tous les ans ?

– Oui, c'est un plaisir ...... *qui dont* ...... (6) je ne peux pas me passer.

– À votre avis, qui va gagner la Palme d'Or cette année ?

– Le film .... *qui* .... (7) ne parlera pas de violence.

– Ah bon, pourquoi ?

– Le cinéma ...... *dont* ...... (8) le public a envie est un cinéma .... *qui* .... (9) fait rêver. Non ?

3 Complétez avec *qui*, *que*, *où* ou *dont*.

Téléachat

Bonjour à tous, merci de suivre notre émission comme chaque mercredi après-midi.

Voici donc Juvénila, une crème ...... *qui* ...... (1) va changer votre vie ! Une crème *que* .... (2) votre peau va aimer et ...... *dont* ...... (3) vous ne pourrez plus vous passer, au prix de sept euros le tube !

Maintenant, passons à l'agenda électronique Agendix, le produit ...... *dont* ...... (4) tout le monde rêve, un objet .... *qui* .... (5) vous permet d'enregistrer toutes les informations ...... *dont* ...... (6) vous avez souvent besoin et en plus, un produit .... *qui* .... (7) n'est pas cher ! Seulement 100 euros !

Et pour des nuits calmes, le futon, le lit .... *qui* .... (8) aime votre dos, ... *qui* ...... (9) ne prend pas beaucoup de place et ...... *qui* ...... (10) apporte de l'originalité dans votre appartement. Nous vous le proposons à 350 euros !

Pour vous Madame, le mini-portable à 55 euros, le téléphone ...... *qui* ...... (11) tient dans votre porte-monnaie, ... *dont* ...... (12) toutes vos amies seront jalouses !

Et encore pour Madame, mais pourquoi pas pour vous Monsieur, le robot multifonctions, l'objet .... *qui* .... (13) manque dans votre cuisine. Il prépare tous les plats ...... *que* ...... (14) vous désirez ; il est très petit, vous pouvez le mettre là ...... *où* ...... (15) vous voulez et il remplace tous les appareils ...... *dont* ...... (16) vous vous servez tous les jours. Au prix exceptionnel de 200 euros.

Voilà, c'est tout pour aujourd'hui, *Téléachat*, l'émission ...... *qui* ...... (17) vous permet de bien acheter et .... *où* .... (18) vous pouvez toujours trouver votre bonheur.

À la semaine prochaine !

Vous pouvez faire l'évaluation 4, pages 136-137.

14

LA CAUSE
ET LA CONSÉQUENCE

➤ Donner une explication ➤ Indiquer une conséquence

A **LA CAUSE**

UTILISATION DE *PARCE QUE*	EXEMPLES
Réponse à la question : « Pourquoi... ? »	- Pourquoi tu ne dis rien ? - **Parce que** je n'ai rien à dire !
Explication : en langage formel, **parce que** peut être remplacé par **car**.	Il est fâché **parce que** tu ne l'as pas invité. Il est fâché **car** personne ne l'a invité.

Attention, s'il y a deux causes : *Je ne sortirai pas **parce qu'**il pleut et **que** je n'ai pas envie de sortir.*

1 **Mettez dans l'ordre et trouvez la réponse correcte.**

1. as / jeté / ta / pourquoi / montre / tu / est-ce que / ?

   Pourquoi est-ce que tu as jeté ta montre ?

2. ce / prends / pourquoi / tu / médicament / est-ce que / ?

   ....

3. tous / avez / pourquoi / acheté / livres / vous / ces / - / ?

   ....

4. est-ce qu' / pourquoi / en / s'habille / toujours / elle / noir / ?

   ....

5. pas / pourquoi / son / n' / utilise / ordinateur / elle / est-ce qu' / ?

   ....

1.	2.	3.	4.	5.
b				

a. Parce que c'est la mode.

b. Parce qu'elle ne marchait plus.

c. Parce qu'il est en panne.

d. Parce que je prépare un mémoire.

e. Parce que je suis enrhumé.

2 Soulignez la cause et faites des phrases
avec *parce que.*

Donner une
explication

Vacances en France

1. <u>Il fait toujours beau et l'eau est chaude</u>. Je vais souvent en Corse.

   Je vais souvent en Corse parce qu'il fait toujours beau et que l'eau est chaude.

2. Elles font des randonnées. Elles adorent marcher.

   ....

3. Il aime trop le confort. Il ne fait jamais de camping.

   ....

4. Elle a peur de l'eau et elle ne sait pas nager. Elle n'ose pas se baigner.

   ....

   ....

5. Nous n'allons pas au bord de la mer. Nous détestons la plage.

   ....

6. Ils n'aiment pas la foule. Ils ne partent jamais au mois d'août.

   ....

UTILISATION DE *COMME*	EXEMPLE
Comme se place toujours en tête de phrase.	**Comme** aujourd'hui c'est ton anniversaire, je t'invite au restaurant.

Attention, s'il y a deux causes : **Comme** il fait beau et **que** je suis en forme, sortons !

3 Associez.

1. Comme il a fait très froid,
2. Comme il a beaucoup neigé,
3. Comme il y a eu beaucoup de vent,
4. Comme il a beaucoup plu,
5. Comme il y avait du brouillard,
6. Comme il a fait très beau et sec,

a. les routes ont été bloquées.
b. il y a eu de fortes inondations.
c. on ne voyait presque rien.
d. les fleurs ont gelé.
e. il y a eu quelques incendies.
f. des arbres sont tombés.

1.	2.	3.	4.	5.	6.
d					

La cause et la conséquence

4 **Transformez les phrases avec *comme*.**

Donner une explication

Changements de vie

1. J'ai déménagé parce que mon loyer était trop élevé.

   Comme mon loyer était trop élevé, j'ai déménagé.

2. Ma femme a arrêté de travailler parce qu'elle a eu des jumeaux.

   ....

3. Ils ont quitté leur région car leur entreprise a fermé et il n'y avait plus d'emplois.

   ....

4. Elle a quitté ses parents parce qu'elle s'est mariée.

   ....

5. Ils sont partis en province car ils ne supportaient plus la vie parisienne.

   ....

6. Ils ont vendu leur maison parce qu'ils avaient besoin d'argent.

   ....

5 **Complétez avec *comme* ou *parce que*.**
(Rétablissez l'apostrophe si nécessaire.)

Donner une explication

Comment allez-vous ?

1. Il marche lentement ***parce qu'***il est tombé et ***qu'***il s'est fait mal au pied.
2. J'ai un peu mal à l'estomac .... j'ai trop mangé hier à la fête.
3. Il a très mal dormi .... il avait de la fièvre.
4. .... il avait mal au dos, le médecin lui a dit de faire des séances de massage.
5. .... elle s'est cassé la main droite, elle doit écrire de la gauche.
6. Je suis allée voir le médecin .... j'avais de la fièvre.
7. .... je ne me sentais pas bien et .... il était tard, j'ai préféré rentrer chez moi.

6 **Soulignez la cause et faites des phrases avec *comme***
ou *parce que*.

1. Il a obtenu de très bons résultats. Il a eu une récompense. **(comme)**

   Comme il a obtenu de très bons résultats, il a eu une récompense.

2. Il a perdu son match. Il est déçu. **(parce que)**

   ....

3.   Elle n'a pas son permis de conduire. Elle ne peut pas prendre la voiture. **(comme)**

....

4.   Il a réussi son examen. Ses amis l'ont félicité. **(comme)**

....

5.   Elle a gagné la course. Elle a reçu la médaille d'or. **(parce que)**

....

UTILISATION DE *À CAUSE DE* ET *GRÂCE À*	EXEMPLES
La raison est négative pour celui qui parle.	Je suis arrivée en retard **à cause du** réveil qui n'a pas sonné et **de la** grève du métro.
La raison est positive pour celui qui parle.	J'ai réussi cet exploit **grâce à** mon courage et **à** mon entraîneur.

Attention aux articles contractés : à cause **du**, **des** / grâce **au**, **aux**.
Quand il y a deux raisons, on répète la préposition **de** ou **à**.

7   Complétez avec à *cause de l'*, à *cause du*, à *cause de la* ou à *cause des*.

Déménagement

Dans cette ville, je déteste le bruit, les embouteillages, la pollution, la mentalité des habitants,
le climat, l'environnement, les usines.

	1.	*à cause du* bruit,	
	2.	.... embouteillages,	
	3.	.... pollution,	
Je vais quitter cette ville	4.	.... mentalité des habitants,	
	5.	.... climat,	
	6.	.... environnement,	
	7.	.... usines.	

8   Complétez avec *grâce à*, *grâce à l'*, *grâce au*
ou *grâce à la*.

Donner
une explication

Emménagement

Je viens d'équiper mon nouvel appartement ; j'ai acheté une cafetière électrique, un aspirateur,
un magnétoscope, un four micro-ondes, une machine à laver la vaisselle.

1.   *Grâce à la* cafetière électrique, je fais du très bon café.

2.   .... aspirateur, tout est propre en cinq minutes.

3. .... magnétoscope,

j'enregistre tout ce que je veux.

4. .... four micro-ondes,

mes repas sont prêts en quelques minutes.

5. .... machine à laver

la vaisselle, tout se lave facilement.

6. Bref, ... tous ces

appareils, ma vie a changé !

9 **Complétez avec *à cause de* ou *grâce à*.**
(N'oubliez pas l'article contracté.)

En ville

1. J'ai manqué mon rendez-vous ***à cause de la*** circulation et ***de la*** pluie.

2. Je suis arrivé à l'heure à l'aéroport .... chauffeur de taxi.

3. Je n'ai pas pu traverser la ville .... manifestations.

4. Je n'ai jamais eu d'accident .... ma prudence.

5. Le carrefour a été débloqué .... un agent de police.

6. Les rues sont très sales .... manque de poubelles et

.... indifférence des gens.

7. Il y a moins d'accidents .... nouveau carrefour et .... stops.

10 **Complétez avec *à cause de* ou *grâce à* et remplacez les mots soulignés**
par un pronom personnel.

1. Il est parti en vacances ***grâce à*** <u>ses parents</u>.

Il est parti en vacances ***grâce à eux***.

2. Elle a trouvé une location .... <u>sa sœur</u>.

Elle a trouvé une location ....

3. Ils n'ont pas pu partir à l'étranger .... <u>leurs enfants</u>.

Ils n'ont pas pu partir à l'étranger ....

4. Nous allons souvent dans cette région .... <u>nos amis</u>.

Nous allons souvent dans cette région ....

5. Il dépense trop d'argent en vacances .... <u>sa femme</u>.

Il dépense trop d'argent en vacances ....

6. Il a dû rentrer plus tôt .... <u>son fils</u>.

Il a dû rentrer plus tôt ....

B LA CONSÉQUENCE

UTILISATION DE *ALORS, DONC, C'EST POURQUOI*	EXEMPLES
Ces expressions relient deux phrases.	Il pleuvait, **alors** je suis resté à la maison. Ce travail ne m'intéresse plus, **c'est pourquoi** / **donc** j'ai démissionné.

11 Associez.

Politique

1.	Il tient toujours ses promesses,	a.	c'est pourquoi il n'a pas été réélu.
2.	Je ne connais pas les candidats,	b.	alors je ne sais pas lequel choisir.
3.	Je viens d'être majeur,	c.	elle a donc été élue.
4.	Ce député ne représentait pas bien sa région,	d.	c'est pourquoi les gens ont confiance en lui.
5.	Elle a obtenu la majorité des voix,	e.	alors je peux voter.
6.	Il a oublié sa carte d'identité,	f.	alors il ne peut pas voter.

1.	2.	3.	4.	5.	6.
d					

12 Mettez dans l'ordre.

1. raté / suis / mon / rentrée / tard / J' / train / je / ai / alors.

   J'ai raté mon train, alors je suis rentrée tard.

2. mes / sonné / Je / chez / ai / clés / n' avais pas / j' / c'est pourquoi / voisin / mon.

   ....

3. aller / dû / j' / alors / ai / hôtel / n'était pas / Il / à l' / chez lui.

   ....

4. vers / y / c'est pourquoi / J' / dormi / minuit / j' / arrivée / peu / suis / ai.

   ....

UTILISATION DE TELLEMENT... QUE	EXEMPLES
tellement + adjectif + **que**	Je suis **tellement** fatigué **que** je vais me coucher.
tellement de + nom + **que**	Il y a **tellement** de choses à visiter **qu'**on doit faire des choix.
Verbe + **tellement**	Je travaille **tellement que** je ne vais plus au cinéma. J'ai **tellement** écrit **que** j'ai mal à la main.

13 Choisissez le verbe et complétez les phrases comme dans l'exemple.

courir ~~marcher~~ pleurer manger crier

1. *Il a tellement marché qu'*il a mal aux pieds.
2. .... tu as les yeux rouges.
3. .... elles n'ont plus de voix.
4. .... j'ai mal aux jambes.
5. .... elle a mal au ventre.

14 Complétez les phrases avec *tellement de* ou *tellement d'* et un mot de la liste.

Indiquer une conséquence

activités ~~gens sympathiques~~ soirées plages aventures menus

1. Vous rencontrez ***tellement de gens sympathiques que*** vous vous faites des amis rapidement.
2. Il y a .... vous pouvez vous baigner facilement.
3. On vous propose .... vous ne pouvez pas toutes les faire.
4. Nous vous offrons .... vous ne savez plus lequel choisir.
5. Le club vous invite à .... vous ne vous couchez jamais avant deux heures du matin.
6. Vous vivrez .... vous aurez plein de choses à raconter à vos amis.

15 Mettez dans l'ordre et complétez.

Indiquer une conséquence

il n'a pas pu refuser   elle est restée à l'université   elle est allée se coucher
~~elle est allée voir un médecin~~   il est parti acheter à manger

1. mal / Béatrice / à / tête / avait / tellement / la
   Béatrice avait tellement mal à la tête qu'elle est allée voir un médecin.

2. faim / Fabrice / tellement / avait

....

3. travail / Stéphanie / de / avait / tellement

....

4. envie / Alain / tellement / avait / sortir / de

....

5. sommeil / Annie / tellement / avait

....

BILAN

1 Faites des phrases.

1. Sa valise était trop lourde. Elle a dû payer un supplément. **(comme)**

....

2. Il y avait du monde. Je n'ai pas trouvé mes amis. **(tellement de)**

....

3. Je n'ai pas eu de billet. Le vol était complet. **(parce que)**

....

4. Le temps était mauvais. On a décollé avec quatre heures de retard. **(tellement)**

....

5. Les hôtesses ne disaient rien. Les passagers s'impatientaient. **(comme)**

....

6. Les pilotes étaient en grève. J'ai reporté mon voyage. **(c'est pourquoi)**

....

2 **Complétez les dialogues avec une expression de cause ou de conséquence.**

– Pourquoi tu ne t'es pas inscrit au club d'athlétisme ?

– .... (1) je crois que je n'aurai pas le temps ....
(2) mon emploi du temps chargé.

– Martin nous accompagne ce soir ?

– Écoute, ... (3) j'ai une place pour lui et ....
(4) il n'a pas annulé, je pense qu'il vient.

– Tu ne pars pas aux sports d'hiver cette année ?

– Non, malheureusement. C'est .... (5) mon nouvel emploi et aussi
.... (6) je fais des économies.

– Comment as-tu obtenu ce billet pour le match ?

– .... (7) mon frère. Il ne peut pas y aller .... (8)
il est malade, ... (9), j'ai pris sa place.

– Tu as de la chance !

– Dépêche-toi, ... (10) toi, on va encore être en retard !

3 **Complétez le dialogue avec une expression de cause ou de conséquence.**

Encore une nouvelle robe !

– Chérie, tu es prête ?

– Oui, j'arrive tout de suite !

– Quoi ? Encore une nouvelle robe ?

– .... (1) il y avait des soldes et .... (2)
j'avais un peu d'argent, je n'ai pas pu résister. Et puis, ... (3)
mes heures supplémentaires du mois dernier, j'ai pensé que je pouvais me faire un cadeau !

– Mais enfin, pourquoi une robe marron ?

– .... (4) j'aime cette couleur et .... (5)
c'est à la mode. Mais si tu ne veux pas sortir avec moi .... (6)
ma robe, ... (7), je reste à maison !

– Mais non, ne t'énerve pas !

– Bon, tu veux que je me change ?

– Écoute, tu as .... de vêtements .... (8)
tu n'auras pas de mal à choisir ! Mais dépêche-toi .... (9)
Pierre nous attend devant le théâtre !

LE SUBJONCTIF PRÉSENT

➤ Exprimer une nécessité, une volonté, un souhait, un sentiment, un jugement

A LA FORMATION DU SUBJONCTIF PRÉSENT

FORMATION	FINIR
• Avec **je**, **tu**, **il / elle / on** et **ils / elles**, le radical est celui du présent avec **ils** (ils **finiss**ent) et on ajoute les terminaisons suivantes : **-e**, **-es**, **-e**, **-ent**.	Il veut que je finis**se**. Je veux que tu finis**ses**. Je veux qu'il / elle / on finis**se**. Nous voulons qu'ils/elles finis**sent**.
• **Nous** et **vous** ont les formes de l'imparfait.	Il veut que nous finis**sions**. Il veut que vous finis**siez**.

Attention ! Sept verbes sont irréguliers : avoir (*que j'aie*), être (*que je sois*), aller (*que j'aille*), faire (*que je fasse*), pouvoir (*que je puisse*), savoir (*que je sache*), vouloir (*que je veuille*).

take the ils form of the verb, chop the 'ent' add endings

1 Dites si les verbes sont au présent de l'indicatif (I), au présent du subjonctif (S) ou s'ils appartiennent aux deux conjugaisons (I/S).

		I	S	I/S
1.	viennes		✔	
2.	parle			✓
3.	mettes		✓	
4.	regardions		✓	
5.	jette			✓
6.	lisent			✓
7.	sors	✓		
8.	jouez	✓		

2 Soulignez les deux formes du subjonctif présent et donnez l'infinitif.

1. dors – <u>dormes</u> – <u>dormiez</u> : ***dormir***
2. voulions – voulez – <u>vouliez</u> : .....vouloir........................
3. écris – <u>écrivions</u> – <u>écrive</u> : .....écrire........................
4. fassions – fais – <u>fasse</u> : ....faire........................
5. <u>prenne</u> – prends – <u>preniez</u> : ......prendre........................

6. finissiez – finissions – finis : ....*finir*........................

7. allions – allons – aille : ....*aller*........

8. buviez – bois – boive : ....*boire*........

9. sois – soyons – sommes : ......*être*.......

10. dise – dites – dises : ....*dire*........

11. aie – ai – aient : ....*avoir*........

12. puissions – peuvent – puissent : ....*pouvoir*........

13. vois – voyions – voies : ....*voir*........

14. sachions – savent – sachent : ......*savoir*........

B L'UTILISATION DU SUBJONCTIF PRÉSENT

UTILISATION	EXEMPLES
Nécessité	**Il faut que** tu viennes.
Volonté	**Nous avons voulu qu'**il parte en Corse.
Souhait	**Je désire que** tu te reposes un peu. **Il souhaiterait que** vous veniez ce soir.
Sentiment	**Je suis content que** vous acceptiez mon invitation.
Jugement	**Il est inacceptable que** tu jettes les papiers par terre. **Je trouve normal qu'**il fasse cela.

Attention ! Le verbe **espérer** est suivi de l'indicatif : *J'espère qu'il n'est pas malade et qu'il viendra ce soir.*
Si le sujet parle de lui-même, on utilise l'**infinitif** : *Je suis content de venir.*

3 Conjuguez les verbes au subjonctif présent.

Une amie exigeante !

Pour rester mon ami, il faudra :

1. que tu *me téléphones* (**me téléphoner**)
   chaque jour,

2. que tu .....*m'invites*.......................
   (**m'inviter**) souvent à dîner,

3. que tu ....*ailles*........................
   (**aller**) au cinéma avec moi,

4. que tu ......*sois*........................
   (**être**) disponible pour moi,

5. que tu ....aies............ (**avoir**) du temps à me consacrer,

6. que tu ......me fasses........ (**me faire**) des cadeaux,

7. que tu ....saches.......... (**savoir**) m'écouter,

8. que tu ....viennes........ (**venir**) chez moi quand je t'appelle.

4 **Associez puis complétez avec les verbes au subjonctif présent. (Rétablissez l'apostrophe si nécessaire.)**

Exprimer une nécessité

1. Tu es trop paresseux.
2. Je suis trop mou.
3. Vous êtes trop stressés.
4. Nous sommes trop nerveux.
5. Elle est trop pressée.
6. Tu es trop égoïste.

a. Elle doit prendre son temps.
b. Nous devons être plus calmes.
c. Je dois être plus dynamique.
d. Tu dois faire des efforts.
e. Tu dois penser aux autres.
f. Vous devez vous reposer.

1.	2.	3.	4.	5.	6.
d	c	f	b	a	e

1. Tu es trop paresseux, il faut que ***tu fasses des efforts***.
2. Je suis trop mou, il faut que ......je sois plus dynamique................. .
3. Vous êtes trop stressés, il faut que ...vous vous reposiez............ .
4. Nous sommes trop nerveux, il faut que ...nous soyons plus calmes.......... .
5. Elle est trop pressée, il faut que .....qu'elle prenne son temps.......... .
6. Tu es trop égoïste, il faut que ...tu penses aux autres........... .

5 **Conjuguez les verbes au subjonctif présent.**

Pour surfer sur Internet

Il faut que tu ***achètes*** (1) (**acheter**) un ordinateur assez puissant et il est indispensable

que tu ....aies................ (2) (**avoir**) aussi un modem. Tu sais, il faudra que le vendeur

........prenne............ (3) (**prendre**) le temps de bien t'expliquer. Pour l'installation,

il faut que ton ordinateur ....soit............ (4) (**être**) près d'une prise téléphonique.

Et il est aussi nécessaire que tu ....choisisses........... (5) (**choisir**) un serveur, tu sais,

il y en a beaucoup, alors choisis bien : il faut que tu .....fasses............... (6) (**faire**)

attention aux différentes possibilités. Ensuite, c'est facile ! Il faut seulement que

tu ....tiennes......... (7) (**tenir**) la souris correctement et que tu ....cliques............... (8)

(**cliquer**) où tu veux !

Le subjonctif présent

6 Conjuguez les verbes au subjonctif présent.

– « J'ai du travail. Je ne veux pas que tu *déranges* (1) (**déranger**).

Et puis, si le téléphone sonne, je ne veux pas que tu ......répondes......... (2) (**répondre**)

mais que tu ......viennes......... (3) (**venir**) me chercher. »

– « Les enfants, nous sortons ce soir. On ne veut absolument pas que vous ......ouvriez......... (4)

(**ouvrir**) la porte, c'est bien compris ? Les garçons, on ne veut pas que vous ......fassiez......... (5)

(**faire**) les imbéciles et que vous ......empêchiez......... (6) (**empêcher**) Anita de travailler. »

7 Choisissez une phrase de la liste puis transformez au subjonctif présent.

Au moment du départ

~~Pense à moi !~~　　~~Ne m'oublie pas !~~　　Ne perdez pas votre argent !

~~Téléphonez-moi souvent !~~　　~~Restez ensemble !~~　　Ne faites pas de bêtises !

~~Écris-moi !~~　　~~Rapporte-moi un souvenir !~~

Une jeune fille à son fiancé qui part en voyage :

1. « J'aimerais

    – que tu *penses à moi*,

    – que tu ...m'écrives...................,

    – que tu ...me rapportes un souvenir,

    – que tu ...ne m'oublies pas...... . »

Une mère à ses enfants qui partent en voyage :

2. « Je souhaiterais

    – que vous ...me téléphoniez souvent,

    – que vous ...restiez ensemble.......,

    – que vous ...ne perdiez pas votre argent,

    – que vous ...ne fassiez pas de bêtis

8 Soulignez la forme verbale correcte.

Inquiétudes et espoirs

1. Tu crois que tout le monde répondra « oui » à notre invitation ?

    Je ne sais pas mais j'espère bien que tout le monde **aura**/**ait** la possibilité de venir.

2. Tu penses que Julie va venir ?

    Je voudrais vraiment qu'elle **viendra**/**vienne** ; on verra.

3. Tu crois qu'Isabelle et son mari seront de retour ?

    Ils ont promis. Nous espérons tous qu'ils **seront**/**soient** là.

4. Tu penses que nous aurons beau temps ?

    Je souhaite comme toi qu'il **fera**/**fasse** beau.

5. Tu penses qu'on va s'amuser ?

Mais oui ! J'aimerais vraiment qu'il y **a/ait** une bonne ambiance et que tout le monde **soit/est** content.

6. Tu penses qu'on aura assez de place à l'intérieur ?

Je souhaite vraiment qu'il ne **pleuve/pleuvra** pas et que nous **pouvons/puissions** rester dehors.

9 **Transformez avec le verbe au subjonctif présent.**

Exprimer un sentiment

1. Il est toujours en retard. Je ne suis pas contente.

Je ne suis pas contente qu'il soit toujours en retard.

2. Il ne fait jamais rien. Ça m'énerve.

Ça m'énerve qu'il ne fasse jamais rien .

3. Il dort sans arrêt. Ça m'inquiète.

Ça m'inquiète qu'il dorme sans arrêt .

4. Il conduit très vite. Ça me fait peur.

Ça me fait peur qu'il conduise très vite .

5. Il a toujours des problèmes. Ça me désole.

Ça me désole qu'il ait toujours des problèmes .

6. Il perd toujours tout. Ça ne m'amuse pas.

Ça ne m'amuse pas qu'il perde toujours tout .

10 **Complétez avec les verbes au subjonctif présent.**

Exprimer un jugement

Un voisin bizarre

Mon voisin est (1) toujours seul, il vit (2) dans le noir, ses volets sont (3) toujours fermés, on ne voit (4) jamais de lumière, il ne fait (5) pas de bruit, on n'entend (6) pas de musique, il ne reçoit (7) jamais personne, il sort (8) rarement, il ne dit (9) jamais bonjour, il porte (10) toujours des lunettes noires.

Je trouve étrange :

1. qu'il **soit** toujours seul,
2. qu'il vive dans le noir,
3. que ses volets soient toujours fermés,
4. qu'on ne voie jamais de lumière,
5. qu'il ne fasse pas de bruit,
6. qu'on n'entend pas de musique,
7. qu'il ne reçoive jamais personne,
8. qu'il sorte rarement,
9. qu'il ne dise jamais bonjour,
10. qu'il porte toujours des lunettes noires.

11 **Transformez avec l'infinitif ou le subjonctif présent.** *Exprimer un sentiment*

Céline à Paris

1. Céline a un long week-end à Paris. Elle se réjouit.
   Elle se réjouit d'avoir un long week-end à Paris.

2. Sa sœur vient avec elle. Elle est ravie.
   Elle est ravie que sa sœur vienne avec elle.

3. Ses amis sont libres. Elle est contente.
   Elle est contente que ses amis soient libres.

4. Elles peuvent habiter chez eux. Elles ont de la chance.
   Elles ont de la chance de pouvoir habiter chez eux

5. Ils organisent une soirée pour elles. Elles sont heureuses.
   Elles sont heureuses qu'ils organisent une soirée par elles

6. Elles rencontrent de nouveaux amis. Elles adorent.
   Elles adorent rencontrer de nouveaux amis.

BILAN

1 **Mettez les verbes à l'infinitif, au subjonctif présent ou au futur simple de l'indicatif.**

Rentrée des classes

Bonjour à tous ! Je suis heureux d'...accueillir... (1) **(accueillir)** chaque élève, les nouveaux mais aussi les « anciens », dans notre établissement. Avec toute l'équipe des professeurs, nous espérons que vous ...vous plairez... (2) **(se plaire)** dans votre collège.

En cette rentrée, je voudrais que chacun ...prenne... (3) **(prendre)** de bonnes résolutions pour réussir cette année scolaire le mieux possible. Je souhaite vraiment que vous ...puissiez... (4) **(pouvoir)** vous sentir bien dans votre classe. Naturellement, vos professeurs désirent que vous ...soyez... (5) **(être)** à l'heure chaque jour ; il est très important que vous ...arriviez... (6) **(arriver)** à 8 h 30 précises. Il faut bien sûr que chaque élève ...fasse... (7) **(faire)** un effort. Je vous fais confiance. J'espère que tout ...se passera... (8) **(se passer)** bien. Alors, bon courage et au travail !

2 Mettez les verbes au subjonctif présent, à l'infinitif ou à l'indicatif (présent ou futur simple).

– Pour les professeurs, il est normal que les élèves ......*soient*...... (1) (**être**) à l'heure. Mais tu vois, dans ma classe, les élèves ne sont pas étonnés que leurs copains ......*arrivent*...... (2) (**arriver**) en retard. Ça ne les surprend même pas que certains ...*viennent*...... (3) (**venir**) seulement pour un cours. Moi, je voudrais vraiment qu'ils ......*aient*...... (4) (**avoir**) plus de discipline.

– Et est-ce qu'ils apportent à manger en classe ?

– Ah non ! Je ne veux pas qu'ils ......*prennent*...... (5) (**prendre**) ma classe pour une cafétéria, il faut ......*mettre*...... (6) (**mettre**) des limites, non ? Il est important de ...*leur apprendre*...... (7) (**leur apprendre**) un minimum de règles. Il a fallu que je ...*me batte*...... (8) (**se battre**) avec eux pour qu'ils ne mangent pas en classe ; au début, j'ai été obligé de ...*les punir*...... (9) (**les punir**). Mais maintenant, ça va.

– Tu as raison, je vais faire la même chose avec les miens. J'espère que ça ...*marchera*.... (10) (**marcher**).

3 Mettez les verbes au subjonctif présent, à l'infinitif ou à l'indicatif (présent ou futur simple).

Ma chère Alice,

J'ai bien reçu ton petit mot et je suis contente que tu ......*viennes*...... (1) (**venir**) à Paris. Tu me dis qu'il faut que je ......*sois*...... (2) (**être**) patiente et que je ......*reste*...... (3) (**rester**) calme. Je souhaite que tu ......*aies*...... (4) (**avoir**) raison.

Avec Pierre, nous avons vécu beaucoup d'expériences heureuses et j'espère que cette crise entre nous ......*finira*...... (5) (**finir**) rapidement et que nous ......*pourrons*...... (6) (**pouvoir**) vivre comme avant. Pour le moment, c'est vrai, il vaut mieux que je ...*ne bouge pas*...... (7) (**ne pas bouger**) mais j'aimerais tellement qu'il ......*me dise*...... (8) (**me dire**) ce qui ne va pas. Ce serait bien que nous ......*parlions*...... (9) (**parler**) un peu, mais comme je ne veux pas que Pierre ......*soit*...... (10) (**être**) là, je préfère ...*t'appeler*...... (11) (**t'appeler**) un soir de la semaine prochaine quand il sera en province.

À bientôt. Bisous

Claire

Vous pouvez faire l'évaluation 5, pages 138-139.

> **OBJECTIF :** le présent, le présent progressif, le passé composé, le passé récent, l'imparfait, le futur proche, le futur simple

> **THÈME :** les nouvelles

> **NOTE :** sur 50 points

1 Conjuguez les verbes au présent, au passé composé ou au futur simple.

Flash-infos

• La nuit dernière, un incendie .... (1) **(se déclarer)** près de Bordeaux. Une partie des bâtiments d'une usine de produits chimiques .... (2) **(exploser)**. Les pompiers .... (3) **(arriver)** très vite et .... (4) **(éteindre)** le feu rapidement.

• Les élections qui .... (5) **(avoir lieu)** en ce moment à Toulon .... (6) **(se dérouler)** calmement. On .... (7) **(se souvenir)** des incidents de l'année dernière. Mais, pour le moment, tout .... (8) **(se passer)** normalement. Les bureaux .... (9) **(fermer)** à 20 heures et on .... (10) **(avoir)** les résultats ce soir vers 22 heures.

• Le grand stade de Marseille .... (11) **(ouvrir)** ses portes demain soir. Les joueurs des deux équipes de football, Lens et Marseille, ... (12) **(s'entraîner)** pendant trois jours. On .... (13) **(s'attendre)** à un très grand nombre de spectateurs : tous les hôtels du centre-ville .... (14) **(être)** déjà complets.

• Le Premier Ministre .... (15) **(se rendre)** demain en visite officielle à Singapour. Il .... (16) **(partir)** avec le ministre de l'Économie et des Finances et ils .... (17) **(rencontrer)** de nombreux chefs d'entreprises.

• Et maintenant, la météo. Demain, dans toute la France, il .... (18) **(faire)** très froid pour la saison et il .... (19) **(pleuvoir)** presque toute la journée. Attention sur les côtes, le vent .... (20) **(souffler)** très fort.

.. **SUR 20**

2 Conjuguez les verbes au futur proche, au présent progressif ou au passé récent.

Le Marathon de Normandie

« Ici Sylvain Pic, au départ du Marathon de Normandie. Les concurrents .... (1) **(partir)** dans quelques minutes. Ils .... (2) **(s'échauffer)** une dernière fois. C'est parti !! On .... (3) **(donner)** le signal du départ. Je .... (4) **(attendre)** un peu et je .... (5) **(suivre)** les coureurs. Bon !

Nous .... (6) **(sortir)** du village et maintenant, nous .... (7) **(traverser)** le pont et... oh, là, là !!! Un coureur .... (8) **(tomber)**. J'espère que ce n'est pas trop grave, je .... (9) **(essayer)** de me renseigner. Tout va bien, les infirmiers sont là, ils .... (10) **(soigner)** le blessé qui .... (11) **(pouvoir)** continuer la course, espérons-le ! Oui, en effet, le coureur .... (12) **(se relever)** et il .... (13) **(repartir)** dans une minute. Nous espérons qu'il .... (14) **(regagner)** le temps perdu. Ça y est ! Il .... (15) **(rejoindre)** les autres. Quel courage ! »

..	**sur 15**

3 Conjuguez les verbes au passé composé ou à l'imparfait.

Une promenade qui se termine bien

Dijon, le 16 août

Chère Aline,

    *Nos vacances en Bourgogne se passent à merveille. Soleil, repos, promenades. Il y a un superbe lac dans la région où nous .... (1) **(aller)** nous promener hier après-midi. Nous .... (2) **(louer)** une barque et, au milieu du lac, nous .... (3) **(voir)** un incident.*

    *Un petit bateau qui .... (4) **(transporter)** trois jeunes garçons .... (5) **(faillir)** disparaître dans le lac de Cambon. Il .... (6) **(faire)** beau, les trois amis .... (7) **(pêcher)**, mais un des trois copains .... (8) **(vouloir)** prendre un objet bizarre qui .... (9) **(être)** à la surface de l'eau et il .... (10) **(tomber)** dans le lac. Malheureusement, il ne .... (11) **(savoir)** pas nager, alors un de ses compagnons .... (12) **(plonger)** pour l'aider. À ce moment-là, un autre bateau .... (13) **(arriver)** et on .... (14) **(pouvoir)** remonter les deux garçons. Tout .... (15) **(bien se terminer)**.*

    J'espère que vous n'avez pas trop chaud et que vous profitez du calme de Paris au mois d'août. Nous pensons à vous. Bon courage. À bientôt. Je vous embrasse.

Monique

..	**sur 15**

TOTAL	.. **sur 50**

ÉVALUATION 2

➤ **OBJECTIF :** l'interrogation, la négation et les expressions de temps
➤ **THÈME :** la vie de famille
➤ **NOTE :** sur 50 points

1 Soulignez la forme correcte.

Un dimanche comme les autres

Laurent et Carole Lambert font du vélo **le dimanche/à dimanche** (1) matin **il y a/depuis** (2) longtemps. Mais, **ce matin/le matin** (3), ils restent chez eux : **demain/hier** (4), Carole est tombée dans l'escalier et elle a passé **le jour/la journée** (5) à l'hôpital. Elle doit rester au repos **en/pendant** (6) trois jours. Elle espère être en forme **le dimanche/dimanche** (7) prochain parce qu'ils vont à un anniversaire **ce jour/ce jour-là** (8) et c'est **en/dans** (9) peu de temps.

.. sur 9

2 Complétez avec le mot interrogatif correct et la forme *est-ce que* si nécessaire.

Cinquante ans de mariage

– Grand-mère, tu as .... (1) âge ?

– J'ai 70 ans.

– .... (2) tu as rencontré Grand-père ?

– En 1950.

– .... (3) vous êtes restés fiancés ?

– Pendant quatre ans.

– .... (4) vous êtes restés fiancés si longtemps ?

– Parce que ton grand-père travaillait à Paris et moi à Marseille.

– Vous êtes mariés .... (5) exactement ?

– Depuis cinquante ans.

– Vous vous êtes mariés .... (6) ?

– Dans notre petite église.

– .... (7) personnes il y avait à votre mariage ?

– Je ne sais plus vraiment, il y avait nos deux familles et quelques amis.

– Tu étais habillée .... (8) ?

– J'avais la robe de mariée de ma mère ! .... (9) tu veux la voir ?

.. sur 9

132

3 Complétez le dialogue.

Noël

– .... (1) vous passez de temps en temps Noël en famille ?

– Non, je .... (2) **(ne jamais passer)** Noël en famille.

– .... (3) vous passez cette fête ? Avec des amis ?

– Je .... (4) **(ne plus passer)** Noël avec des amis et je

.... (5) **(ne pas encore avoir)** d'enfants.

– .... (6) vous faites, alors, pour Noël ? Vous sortez ?

– Généralement, je .... (7) **(ne rien faire)** de spécial.

– Vous .... (8) **(ne voir personne)** ?

– Non, absolument personne.

– .... (9) vous avez l'air si triste ?

– Parce que je .... (10) **(ne plus croire)** au Père Noël !

.. **sur 10**

4 Mettez à la forme négative.

Un anniversaire réussi   **Un anniversaire raté**

1.   Tout le monde est content.   ....

2.   Il y a de la bonne musique.   ....

3.   On a déjà acheté les cadeaux.   ....

4.   Tout se passe comme prévu.   ....

5.   On a toujours ce qu'on a demandé.   ....

6.   À minuit, on a encore envie de danser.   ....

7.   Tous les amis sont là.   ....

.. **sur 7**

5 Complétez cette lettre d'invitation.

Nantes, le 14 avril

Chers amis,
*   Nous organisons une soirée .... (1) samedi 19 mai .... (2) de 20 heures dans notre maison à La Rochelle. Nous .... (3) **(ne pas se voir)** .... (4) très longtemps et nous serons heureux de vous revoir à cette occasion. .... (5) vous viendrez en voiture ? Si oui, ... (6) vous pouvez amener notre cousin Paul ? Il a eu un accident .... (7) huit jours et il .... (8) **(ne plus avoir)** de voiture. Si vous .... (9) **(ne pas pouvoir)** venir, ... (10) vous pouvez nous téléphoner .... (11) soir, ... (12) 19 heures et minuit, ou tôt .... (13) matin, ... (14) de partir au travail.   Merci et .... (15) bientôt.*
Grosses bises.
*   Michèle et Sébastien*

.. **sur 15** | TOTAL | .. **sur 50**

➤ **OBJECTIF :** l'article, l'adjectif qualificatif, les adjectifs et les pronoms démonstratifs et possessifs, le comparatif, le superlatif

➤ **THÈME :** le monde de l'entreprise

➤ **NOTE :** sur 50 points

1 Complétez cette invitation.

Monsieur Gilles Barnelaud et .... (1) ensemble .... (2) personnel

.... (3) Établissements Barnelaud

vous prient de leur faire l'honneur d'assister à .... (4) soirée privée pour

.... (5) inauguration .... (6) salon .... (7) technologies médicales .... (8)

jeudi 3 octobre 2001, de 19 heures à 22 heures.

.... (9) invitation est valable pour deux personnes.

Envoyez .... (10) réponse avant .... (11) 25 septembre 2001.

	SUR 11
..	

2 Placez correctement les adjectifs et accordez-les.

Une nouvelle énergie pour la région !

Chocomixe, l'........................ entreprise .... (1) **(idéal)** pour notre région !

La .... entreprise .... (2) **(petit)** de .... chocolats .... (3)

(fin), Chocomixe, a inauguré hier son .... établissement .... (4) **(nouveau)**

et a présenté ses .... créations .... (5) **(dernier)**.

Cette .... entreprise .... (6) **(imaginatif)**, ... exemple

.... (7) **(beau)** de dynamisme, a déjà créé de .... emplois .... (8)

(nombreux). Cette implantation va avoir des .... conséquences .... (9)

(positif) sur notre .... économie .... (10) **(régional)**.

Au cours de la soirée, les .... élus .... (11) **(local)** ont remercié la direction

de Chocomixe de cette .... initiative .... (12) **(ambitieux)**.

Bordeaux, le 29 mai 2001 – D.M. – *Le Journal du Sud.*

	SUR 12
..	

3 Complétez avec des comparatifs et des superlatifs.

		Société A	Société B
1.	Nombre d'employés	150	150
2.	Chiffre d'affaires	80 millions d'euros	10 millions d'euros
3.	Qualité des produits	++	+++++
4.	Dynamisme	+++	+++
5.	Date de création	1996	1998
6.	Usines en France	8	6
7.	Nombre de produits	20	15

1. A et B ont .... employés.

2. B a le chiffre d'affaires .... élevé.

3. Les produits de B sont de .... qualité.

4. Les deux entreprises sont .... dynamiques.

5. B est la société .... récente.

6. La société A a .... usines en France .... la société B.

7. C'est la société A qui propose .... produits.

.. **sur 7**

4 Complétez avec des articles, des adjectifs possessifs et des adjectifs démonstratifs.

Bordeaux, ... (1) 20 juin 2001

Chère Françoise,

J'ai .... (2) grande nouvelle à t'annoncer : j'ai trouvé .... (3) travail, exactement .... (4) travail que je voulais.

J'ai été engagée comme assistante .... (5) directeur de .... (6) société Rocale. J'ai répondu à .... (7) petite annonce, je suis allée à .... (8) entretien ; .... (9) diplômes et .... (10) expérience étaient parfaits pour .... (11) poste-là. C'est .... (12) chance de .... (13) vie !

Je suis très heureuse, je commence .... (14) semaine prochaine. J'espère que je vais me plaire dans .... (15) entreprise et que je vais bien m'entendre avec .... (16) futurs collègues.

Pour fêter .... (17) événement, je vais organiser .... (18) soirée chez moi .... (19) semaine prochaine, je vais inviter tous .... (20) amis. Tu pourras venir, j'espère !

Je t'embrasse. À samedi.

Caroline

.. **sur 20**

TOTAL .. **sur 50**

ÉVALUATION 4

➤ **OBJECTIF :** les pronoms personnels compléments, l'impératif, les pronoms relatifs
➤ **THÈME :** les grands magasins
➤ **NOTE :** sur 50 points

1 **Complétez avec des pronoms personnels compléments et des pronoms relatifs.**

Paul et Julie viennent d'acheter une maison : ils invitent leurs amis samedi prochain pour fêter l'événement. Léa et Claire, deux amies, décident d'aller acheter un cadeau dans un grand magasin.

Léa : Qu'est-ce qu'on .... (1) offre, tu as une idée ?

Claire : Non, et toi ?

Léa : Je ne connais pas leur nouvelle maison. Toi, tu .... (2) connais, non ?

Claire : Oui, j'................. (3) suis allée la semaine dernière ; Julie voulait une cuisine neuve, Paul .... (4) a installé une. Je .... (5) trouve assez jolie ! Il ne .... (6) manque vraiment rien !

Léa : Alors, qu'est-ce qu'on peut .... (7) acheter ? On .... (8) prend quelque chose pour la décoration ?

Claire : Oui, c'est une idée, demandons à la vendeuse !

La vendeuse : Bonjour Mesdemoiselles, je peux .... (9) aider ?

Léa : Oui, s'il vous plaît. Nous cherchons un cadeau pour des amis .... (10) viennent de déménager, quelque chose pour décorer une nouvelle maison.

La vendeuse : Pourquoi pas un vase ? C'est un objet .... (11) on a toujours besoin et .... (12) fait plaisir en général. Regardez celui .... (13) se trouve sur l'étagère derrière vous.

Claire : Un vase ? Oh non, ils .... (14) ont déjà plusieurs.

La vendeuse : Alors, une lampe ! Tenez, j'ai ce modèle .... (15) va avec tous les styles.

Léa : Ah oui, elle est très belle. Qu'est-ce que tu .... (16) penses, Claire ? Tu crois que ça va .... (17) plaire ?

Claire : Oui, je .... (18) suis sûre ! Si tu es d'accord, on .... (19) prend.

Léa : D'accord, elle .... (20) plaît bien.

La vendeuse : Vous avez raison, Mesdemoiselles. C'est un cadeau .... (21) plaira sûrement à vos amis. Je vous donne cette fiche : vous .... (22) présentez à la caisse pour payer. Pendant ce temps, je fais un paquet-cadeau.

.. **SUR 22**

2 Complétez avec des pronoms personnels compléments et des pronoms relatifs. Mettez les verbes à l'impératif.

Soldes au rayon vêtements

.... (1) (**s'approcher**) Mesdames ! .... (2) (**profiter**) de nos nombreuses réductions ! .... (3) (**ne pas perdre**) de temps, il n'y en aura pas pour tout le monde ! .... (4) (**demander**) à nos vendeuses, elles sont là pour .... (5) renseigner. Bonjour Mademoiselle. .... (6) (**regarder**) cette veste ! .... (7) (**ne pas hésiter**) à .... (8) essayer ! .... (9) (**se faire**) plaisir ! À ce prix-là, c'est vraiment une affaire .... (10) vous ne pouvez pas laisser passer !

.. | **sur 10**

3 Complétez avec des pronoms personnels compléments et des pronoms relatifs. Mettez les verbes à l'impératif.

Paris, le 18 janvier 2000

Chère Thérèse,

*J'attendais cette période de soldes avec impatience, et je peux .... (1) dire que je suis très contente de tous les vêtements .... (2) j'ai achetés. J'ai attendu un jour .... (3) il n'y avait pas trop de monde pour .... (4) aller. J'ai regardé tous les rayons .... (5) proposaient au minimum 30 % de réduction. J'ai trouvé la veste longue .... (6) je rêvais depuis longtemps : grise, très élégante ! Je pourrai .... (7) mettre très souvent. Une vendeuse .... (8) .... (9) regardait .... (10) a conseillé de .... (11) acheter tout de suite. .... (12) (**me croire**), elle .... (13) va très bien. J'ai aussi trouvé une robe .... (14) va parfaitement avec la veste et puis plein d'autres choses .... (15) je suis impatiente de .... (16) montrer. .... (17) (**venir**) vite ! Je .... (18) embrasse.*

Christiane

.. | **sur 18**

TOTAL | .. | **sur 50**

137

➤ **OBJECTIF :** la cause, la conséquence, le subjonctif présent
➤ **THÈME :** la ville
➤ **NOTE :** sur 50 points

1 **Conjuguez les verbes entre parenthèses si nécessaire et ajoutez les mots ci-dessous.**

> pourquoi   voudrais   il faut   à cause de   parce que   il vaut mieux
> espère   ne supporte plus   donc   raisonnable

Alice : J'en ai assez de Paris, je .... (1) .... (2) **(aller)** vivre à la campagne.

Ingrid : .... (3) ?

Alice : .... (4) cette vie de fou me fatigue.

Ingrid : Tu plaisantes ?

Alice : Non, je .... (5) que tout .... (6) **(aller)** si vite et qu'on .... (7) **(ne pas avoir)** le temps de réfléchir. Je suis malheureuse .... (8) je pars. .... (9) absolument que je le .... (10) **(faire)** maintenant.

Ingrid : Je ne trouve pas .... (11) que tu .... (12) **(partir)** loin de ton travail et de tes amis. Réfléchis ! On ne change pas de vie simplement .... (13) stress. Écoute, je pense qu' .... (14) que tu .... (15) **(prendre)** quelques jours de vacances.

Alice : Non, c'est décidé, je m'en vais. N'insiste pas !

Ingrid : Je .... (16) que tu .... (17) **(savoir)** ce que tu fais et que tu .... (18) **(ne pas le regretter)**.

.. **sur 18**

2 **Conjuguez les verbes entre parenthèses si nécessaire et ajoutez les mots ci-dessous.**

> aimerais   parce que   alors   adore   grâce à   tellement... que
> voudrais   parce que... et que...   tellement de... que...

Que pensent-ils de la ville ?

Benoîte Bourrot, 43 ans, professeur de lettres : « Je .... (1) .... (2) **(se promener)** dans les rues de Paris. .... (3) leurs noms de personnages célèbres, je retrouve mes écrivains préférés. Et puis, je suis contente que mon fils .... (4) **(pouvoir)** profiter des musées et qu'il .... (5) **(aller)** voir des pièces de théâtre. Il y a .... possibilités .... (6) je ne quitterai jamais cette ville ».

Julien Lefeu, 15 ans, lycéen : « Ah ! la ville ! C'est super .... (7) on y trouve tout ce qu'on veut. Les cybercafés, les cinémas, les magasins, c'est .... génial

.... (8) je n'ai pas le temps de faire mes devoirs. .... (9),

à l'école, ça ne va pas très bien et il va falloir que je .... (10) (**choisir**) entre

m'amuser et travailler ».

Roland Vanel, 74 ans, retraité **:** « Je .... (11) que la municipalité fasse plus de

choses pour nous. Je .... (12) qu'il y ait moins de voitures ....

elles ne respectent pas les piétons .... (13) elles polluent. Et puis, je suis

triste que l'on .... (14) (**détruire**) les vieilles maisons et que l'on

.... (15) (**construire**) des bâtiments horribles à la place. Je n'ai pas envie

que la ville de mon enfance .... (16) (**disparaître**) complètement.

.. | sur 16

3 Conjuguez les verbes entre parenthèses si nécessaire et ajoutez les mots ci-dessous.

espère   car   tellement... que   comme   grâce à   tellement de... que

suis étonné   suis heureux de   à cause de

Lettre au professeur de français

Paris, le 23 juillet 2000

Chère Madame,

Cela fait un mois que je suis à Paris pour étudier le français et je suis .... occupé
.... (1) je n'écris pas beaucoup. J'habite chez des gens charmants et, ... (2)
eux, je m'habitue vite à la vie parisienne. .... (3) ma prononciation, on sait que
je ne suis pas français et je suis surpris que les gens .... (4) (**me comprendre**).
.... (5) je suis le seul étudiant brésilien de la classe, il faut absolument que
je .... (6) (**parler**) français. Je .... (7) faire beaucoup de progrès.
Paris est une ville fantastique ! Il y a .... choses à faire .... (8)
je sors toujours. Je .... (9) qu'il y ait autant de cinémas mais je regrette qu'ils
.... (10) (**être**) si chers. J'aime aussi .... (11) (**s'asseoir**) aux terrasses des cafés et .... (12) (**regarder**) les gens passer. Je .... (13)
être ici et j'aimerais que mon séjour .... (14) (**durer**) le plus longtemps possible.
J'espère qu'à mon retour vous .... (15) (**être**) fière de moi. Je vous
quitte........................ (16) je dois retrouver des amis.
Avec mon meilleur souvenir.

Dario

.. | sur 16

TOTAL | .. sur 50

ÉVALUATION 1

■ Exercice 1

1. s'est déclaré.
2. a explosé.
3. sont arrivés.
4. ont éteint.
5. ont lieu.
6. se déroulent.
7. se souvient.
8. se passe.
9. ferment / fermeront.
10. aura.
11. ouvrira.
12. se sont entraînés.
13. s'attend.
14. sont.
15. se rendra.
16. partira.
17. rencontreront.
18. fera.
19. pleuvra.
20. soufflera.

■ Exercice 2

1. vont partir.
2. sont en train de s'échauffer.
3. vient de donner.
4. vais attendre.
5. vais suivre.
6. venons de sortir.
7. sommes en train de traverser.
8. vient de tomber.
9. vais essayer.
10. sont en train de soigner.
11. va pouvoir.
12. est en train de se relever / vient de se relever.
13. va repartir.
14. va regagner.
15. vient de rejoindre.

■ Exercice 3

1. sommes allés.
2. avons loué.
3. avons vu.
4. transportait.
5. a failli.
6. faisait.
7. pêchaient.
8. a voulu.
9. était.
10. est tombé.
11. savait.

12. a plongé.
13. est arrivé.
14. a pu.
15. s'est bien terminé.

ÉVALUATION 2

■ Exercice 1

1. le dimanche.
2. depuis.
3. ce matin.
4. hier.
5. la journée.
6. pendant.
7. dimanche.
8. ce jour-là.
9. dans.

■ Exercice 2

1. quel.
2. Quand (est-ce que).
3. Combien de temps (est-ce que).
4. Pourquoi (est-ce que).
5. depuis combien de temps.
6. où.
7. Combien de.
8. comment.
9. Est-ce que.

■ Exercice 3

1. Est-ce que.
2. ne passe jamais.
3. Avec qui (est-ce que) / Comment (est-ce que).
4. ne passe plus.
5. n'ai pas encore.
6. Qu'est-ce que.
7. ne fais rien.
8. ne voyez personne.
9. Pourquoi (est-ce que).
10. ne crois plus.

■ Exercice 4

1. Personne n'est content.
2. Il n'y a pas de bonne musique.
3. On n'a pas encore acheté les cadeaux.
4. Rien ne se passe comme prévu.
5. On n'a jamais ce qu'on a demandé.

6. À minuit, on n'a plus envie de danser.
7. Aucun ami n'est là.

■ Exercice 5

1. le.
2. à partir.
3. ne nous sommes pas vus.
4. depuis.
5. Est-ce que.
6. est-ce que.
7. il y a.
8. n'a plus.
9. ne pouvez pas.
10. est-ce que.
11. le.
12. entre.
13. le.
14. avant.
15. à.

ÉVALUATION 3

■ Exercice 1

1. l'.
2. du.
3. des.
4. leur.
5. l'.
6. du.
7. des.
8. le.
9. Cette.
10. la / votre.
11. le.

■ Exercice 2

1. l'entreprise idéale.
2. petite entreprise.
3. chocolats fins.
4. nouvel établissement.
5. dernières créations.
6. entreprise imaginative.
7. bel exemple.
8. nombreux emplois.
9. conséquences positives.
10. économie régionale.
11. élus locaux.
12. initiative ambitieuse.

■ Exercice 3

1. autant d'.
2. le moins.

3. meilleure.
4. aussi.
5. la plus.
6. plus d'… que.
7. le plus de.

■ Exercice 4
1. le.
2. une.
3. un.
4. le.
5. du.
6. la.
7. une.
8. l' / un.
9. mes.
10. mon.
11. ce.
12. la.
13. ma.
14. la.
15. cette.
16. mes.
17. cet / l'.
18. une.
19. la.
20. mes.

ÉVALUATION 4

■ Exercice 1
1. leur.
2. la.
3. y.
4. en.
5. la.
6. leur.
7. leur.
8. leur.
9. vous.
10. qui.
11. dont.
12. qui.
13. qui.
14. en.
15. qui.
16. en.
17. leur.

18. j'en.
19. la.
20. me.
21. qui.
22. la.

■ Exercice 2
1. Approchez-vous.
2. Profitez.
3. Ne perdez pas.
4. Demandez.
5. vous.
6. Regardez.
7. N'hésitez pas.
8. l'.
9. Faites-vous.
10. que.

■ Exercice 3
1. te.
2. que.
3. où.
4. y.
5. qui.
6. dont.
7. la.
8. qui.
9. me.
10. m'.
11. l'.
12. Crois-moi.
13. me.
14. qui.
15. que.
16. te.
17. Viens.
18. t'.

ÉVALUATION 5

■ Exercice 1
1. voudrais.
2. aller.
3. Pourquoi.
4. Parce que.
5. ne supporte plus.
6. aille.
7. n'ait pas.

8. donc.
9. Il faut.
10. fasse.
11. raisonnable.
12. partes.
13. à cause du.
14. il vaut mieux.
15. prennes.
16. J'espère.
17. sais.
18. ne le regretteras pas.

■ Exercice 2
1. J'adore.
2. me promener.
3. Grâce à.
4. puisse.
5. aille.
6. tellement de… que.
7. parce qu'.
8. tellement… que.
9. Alors.
10. choisisse.
11. J'aimerais / Je voudrais.
12. Je voudrais / J'aimerais.
13. parce qu'… et qu'… .
14. détruise.
15. construise.
16. disparaisse.

■ Exercice 3
1. tellement… que.
2. grâce à.
3. À cause de.
4. me comprennent.
5. Comme.
6. parle.
7. J'espère.
8. tellement de… que.
9. suis étonné.
10. soient.
11. m'asseoir.
12. regarder.
13. suis heureux d'.
14. dure.
15. serez.
16. car.

INDEX GRAMMATICAL

Les chiffres **en gras** font référence aux tableaux « aide-mémoire ».

INDEX DES OBJECTIFS FONCTIONNELS PAR CHAPITRE

L'action

Les choses

Le lieu

La personne

Achevé d'imprimer en Espagne par Unigraf SL
Dépôt légal : février 2018 - Collection n° 24 - Édition n° 18
15/5147/2